Serie Bianca / Feltrinelli

Asha Phillips
I *no* che aiutano a crescere

Presentazione di Giovanni Bollea
Traduzione di Lucia Cornalba

Feltrinelli

Titolo dell'opera originale
SAYING NO. WHY IT'S IMPORTANT FOR YOU AND YOUR CHILD

Traduzione dall'inglese di
LUCIA CORNALBA

© 1999 Asha Phillips
Originally published in English by Faber and Faber Limited, 1999

© Giangiacomo Feltrinelli Editore Milano
Prima edizione in "Serie Bianca" settembre 1999

ISBN 88-07-17037-X

Ai miei figli

Dove il fiume della vostra vita scorre
Lungo le sponde delle vostre verdi ore
Ho vegliato in silenzio
Come un albero che guarda sbocciare a primavera i suoi fiori.

Se tutto il resto può sembrare bugia
A me è stata concessa la magia
Di osservare rispecchiati in limpide acque
Sorgere soli
E lune cullarsi nel mistero dei vostri giovani occhi.

FRENY BHOWNAGARY

Presentazione

di Giovanni Bollea

Finalmente un libro che dà ragione ai "no" dei genitori!

È tuttavia necessaria una prima importante avvertenza: come subito mette in chiaro l'autrice, questo non è un manuale intessuto di prescrizioni su *come* si fa a dire di "no", ma un atto di affettuosa partecipazione che può aiutare il lettore a riflettere su se stesso e sulla propria famiglia in relazione alla *capacità* di dire "no".

Gli esempi e le riflessioni che si incontreranno nelle pagine che seguono nascono dalla ricerca e dall'esperienza clinica. Il gruppo impegnato in questa ricerca ha il compito di seguire un certo numero di bambini dalla nascita fino ai due anni. I colloqui sono settimanali, della durata di un'ora, e si svolgono nelle case dei piccoli, in modo informale. I colloqui vengono poi immediatamente trascritti su nastro, con grande accuratezza e attenzione per i particolari, ma senza tentare di analizzare ciò che si è visto e ascoltato.

In un secondo tempo, il gruppo di ricercatori proverà a cogliere il particolare rapporto madre-figlio, mentre lo psicoterapeuta svolgerà un'analisi che richiederà ovviamente una verifica successiva.

Questa modalità di raccogliere il materiale di ricerca consente quindi di vedere *in vivo* lo svolgersi di una situazione. Il genitore che leggerà con attenzione le descrizioni dei casi qui riportati avrà modo di capire facilmente in che cosa sbaglino i padri e le madri, e sarà anche in grado di elaborare una propria personale opinione delle motivazioni che soggiacciono a tali errori. Il fascino del libro sta proprio in questa osservazione precisa e scrupolosa che riesce a darti il "perché" del rapporto madre-figlio, insieme alla chiave per capire quando si deve dire "sì" e quando "no".

Una lettura molto piacevole che, unita alla ricchezza dei dettagli psicologici e al continuo confrontarsi con le varie teorie, la rendono interessante anche per tecnici e specialisti. Anzi, consiglio vivamente a questi ultimi di leggerlo, al fine di arricchire e approfondire la fenomenologia del disagio infantile.

Ai genitori consiglio invece una particolare modalità di lettura che richiede un ritorno a più riprese alle pagine che riguardano i primi due anni di vita. In particolare penso ai passi dedicati all'interpretazione dei bisogni del bambino, all'armonia e disarmonia delle interazioni, al sonno, al cibo, all'azione e all'accettazione, processi che con la separazione, lo svezzamento e il pianto contribuiscono a formare quel groviglio di sentimenti e di fantasmi dentro e intorno alla culla, che costituiscono le radici dell'io.

Altri temi, come quelli della perdita, del padre, degli "altri" e dell'accudimento sono da affrontare sì con partecipazione, ma anche con un po' di distacco.

Suggerisco invece di soffermarsi sulle pagine che riguardano gli anni dai due ai cinque, durante i quali il mondo è vissuto come qualcosa di magico. Seguiranno i capitoli dedicati agli anni della scuola primaria, all'età della preadolescenza, un'età piena di regole con i suoi doveri, i primi grandi interrogativi – i "chi sono io" e i "cosa voglio da me" –, capitoli che non lasceranno indifferenti nessun genitore.

Introiettare esempi, consigli, negazioni e "proposte", e agire poi facendo buon uso della propria "creatività" di madre e di padre significa aver compreso finalmente l'importanza di una scelta di comportamento costruttiva nei riguardi del figlio.

Ogni genitore ha un proprio passato di figlio, e come genitore è un intermediario tra quel passato e la personalità del figlio: è colui che, grazie alle proprie emozioni, è in grado di mediare in modo creativo tra i ricordi dei propri passi verso l'età adulta e quelli che il figlio sta compiendo verso il suo mondo futuro.

Una lettura straordinaria per mettere a frutto esempi, suggerimenti e stimoli al saper educare.

Questo mi sembra davvero uno dei più bei libri che io abbia letto su questo argomento.

Introduzione

Un repertorio potrebbe rivelarsi più utile di una convinzione, soprattutto se si tiene presente che esiste più di un modo valido di vivere la vita.

ADAM PHILLIPS, *On Kissing, Tickling and Being Bored*

Sembra così ovvio che a volte bisogna dire di no, eppure l'opinione più comune è che, se appena è possibile, si debba dire di sì. Esiste una tacita regola secondo cui le persone gentili, ammodo, educate e premurose non dicono di no. È una regola presente in tutti gli aspetti dell'esistenza, dall'intimità della casa alla sfera pubblica della politica; perfino la pubblicità proclama "la banca che ama dire sì". Nella mia attività clinica di psicoterapeuta infantile vedo spesso famiglie la cui situazione di disagio è dovuta in gran parte all'incapacità di dire no. So di non essere immune io stessa da questo problema, che osservo spesso anche in molti miei amici.

Penso che non dicendo di no al momento giusto rischiamo di sottrarre possibilità e risorse a noi stessi e ai nostri cari; ci limitiamo troppo, non esercitando i nostri "muscoli emotivi". Un no non è necessariamente un rifiuto dell'altro o una prevaricazione, ma può invece dimostrare la fiducia nella sua forza e nelle sue capacità. È il necessario corollario del dire sì: entrambi sono importantissimi. Questo libro esamina cosa significa e perché è essenziale dire no nel contesto familiare.

A seconda delle convinzioni filosofiche, ogni epoca ha dipinto a suo modo l'infanzia e, di conseguenza, il ruolo dei genitori. I bambini sono stati visti come esseri selvaggi da civilizzare (per esempio nel *Signore delle mosche* di William Golding), oppure come una *tabula rasa*, del materiale grezzo da modellare. Nel Diciottesimo secolo il filosofo francese Jean Jacques Rousseau, con la sua immagine del buon selvaggio, li descriveva come esseri naturalmente buoni, a cui sarebbero bastati incoraggiamento e cure per svilupparsi armoniosamente. Negli anni sessanta c'è stato un *revival* di questa idea con il mantra "All you need is love". Le varie concezioni sono state riproposte ciclicamente nel corso dei secoli e compaiono, con maggiore o minore rilievo, in culture diverse.

È inevitabile che le idee sull'educazione infantile riflettano i diversi modi di concepire l'infanzia. C'è stata l'educazione irreggimentata, ispirata a uno stretto controllo da parte degli adulti e alla convinzione che i genitori debbano organizzare e gestire tutti gli aspetti del comportamento dei figli, per esempio per i neonati i ritmi del sonno e la poppata ogni quattro ore. Abbiamo anche provato uno stile educativo più incentrato sui bisogni del bambino, che oggi è il più diffuso. Dopo gli anni sessanta questo approccio liberale ha permeato i nostri rapporti con i bambini, a scuola e in famiglia: ritmo delle poppate regolato in base alle richieste del neonato, un'educazione molto aperta, incentrata sui bambini, il cui esempio più estremo è la scuola di A.S. Neill a Summerhill nel Suffolk. È chiaro insomma che nel tempo le concezioni e gli approcci pedagogici sono cambiati. Oggi non si può dire che predomini un approccio specifico. Non esiste un equivalente della generazione dei "figli di Spock", bambini degli anni cinquanta allevati secondo i dettami del famoso pediatra. Come nella musica e nella moda, non esiste uno stile proprio degli anni novanta. Ci si schiude così uno spazio più creativo, in cui decidere autonomamente; ma per molti genitori questo è motivo di confusione.

Sono convinta che, quando abbiamo dei problemi, in genere cerchiamo le soluzioni più familiari e a portata di mano. Mi piace citare una storia del ciclo di Mulla Nasrudin, che appartiene alla tradizione sufi, ricco di apologhi divertenti che spesso celano un insegnamento filosofico:

Un uomo vide Nasrudin che cercava qualcosa per terra davanti a casa.

"Cosa hai perso, Mulla?" gli chiese. "La chiave," rispose Mulla. Si misero tutti e due in ginocchio a cercarla. Dopo un po' l'uomo chiese: "Dove ti è caduta esattamente?"

"In casa."

"Ma allora perché la cerchi qui?"

"Perché c'è più luce che dentro casa."

Anche noi, come Mulla Nasrudin, cerchiamo dove c'è più luce. Così continuiamo a girare in tondo, rimuginando argomenti e pensieri ripetitivi e circolari, e non arriviamo da nessuna parte. Spero che questo libro aiuterà i lettori a farsi coraggio, a rientrare in casa e a cercare la loro chiave dove possono davvero trovarla.

Questo non è un libro di regole, e nemmeno contiene le ricette su come si fa a dire no. Si propone di aiutare chi legge a riflettere su di sé e sulla propria famiglia in relazione alla capacità di dire no. Credo che, se capiamo il nostro comportamento e l'impatto che ha sugli altri, abbiamo più possibilità di scelta nella vita. È inevitabile che un libro di questo tipo tenda a mettere a fuoco i problemi, il perché e il come degli errori che commettiamo, ma l'importante per me sono i processi, vale a dire lo sviluppo e il cambiamento. Non può esistere una soluzione universale dei nostri problemi; quello che conta è che ciascuno trovi i propri strumenti, il più possibile vari. Come psicoterapeuta credo fermamente nella crescita e nella capacità di recupero delle persone. Quando veniamo a conoscenza dei problemi di una famiglia, spesso come genitori o come insegnanti abbiamo paura di sbagliare e di rovinare la vita dei bambini affidati alle nostre cure. È sempre importante ricordare, però, che le persone sono aperte al cambiamento e che non esistono difficoltà destinate a durare in eterno.

Ogni capitolo è dedicato a una fascia di età e ne considera gli aspetti predominanti, benché naturalmente le diverse fasi non siano separate e indipendenti le une dalle altre. I principi applicati nelle singole parti sono validi per tutte le età, e quindi ci si può limitare a leggere il capitolo che interessa di più, tralasciando gli altri. Consiglio tuttavia di iniziare dal primo, quello sui neonati, perché spiega molte delle riflessioni che seguono.

Per rispettare il segreto professionale, nomi e particolari sono stati modificati in modo da camuffare gli individui e le famiglie rendendoli irriconoscibili, tranne che, forse, a loro stessi. Spero che chi si dovesse riconoscere non si sentirà troppo esposto. Ogni volta che è stato possibile (e sempre, naturalmente, nel caso di amici e studenti) ho ottenuto il permesso di utilizzare il materiale.

Per comodità e per semplicità di comprensione ho fatto riferimento al bambino al maschile e al genitore al femminile. Di fatto è la madre che si prende cura del bambino nel primo periodo di vita, e anche fuori casa i bambini sono per lo più accuditi da donne. Spero che durante la lettura del libro risulterà chiara l'importanza dei padri, dei fratelli e di altre persone significative.

11

1.

Dalla nascita ai due anni

"Da dove sono venuto, dove mi hai preso?"
chiese il piccolo a sua madre.
E lei, fra il pianto e il riso, stringendo il bambino al petto, rispose: "Amore mio, eri un desiderio nascosto nel mio cuore".

RABINDRANATH TAGORE, *The Crescent Moon*

Tutti i bambini chiedono "Da dove vengo?" Tutti conosciamo i fatti della vita, ma sappiamo anche che i nostri bambini sono presenti nella nostra esistenza ancor prima di nascere. Voglio dire che tutti sogniamo come potrà essere il nostro bambino, ce lo immaginiamo, abbiamo per lui desideri e paure. Ci chiediamo che tipo di genitore saremo, pensiamo che tipo di genitore non vogliamo essere. Tutti questi pensieri e queste fantasie precedono la nascita di un figlio e perfino il suo concepimento. Il nuovo bambino è figlio di una coppia (anche se vive con la sola madre, il padre è presente in lui) e nasce in una famiglia, ma anche nel mondo mentale dei genitori, popolato di figure del passato e del presente, di speranze, di aspettative, di timori e di migliaia di altri pensieri. Questo primo capitolo cercherà di analizzare come genitori e bambino si adattano gli uni all'altro nell'ambito di questa costellazione.

Per molto tempo si è pensato che i neonati non siano persone "vere e proprie", ma delle piccole creature che si limitano a mangiare e dormire e di tanto in tanto, per brevi periodi di tempo, giocano. La moderna ricerca ha dimostrato che, invece, i neonati e i bambini molto piccoli sono individui straordinariamente sofisticati. Ecco solo alcune delle loro abilità: vedono, sentono i suoni, gli odori e i sapori, sono in grado di fare delle distinzioni e hanno le loro preferenze. Sappiamo che perfino in sala parto preferiscono i volti umani alle forme astratte. I neonati possono fissare un viso e imitarne certe espressioni, per esempio tirando fuori la lingua. Riconoscono l'odore del latte della madre e già a sette giorni dalla nascita si girano nella direzione da cui proviene. Preferiscono le voci umane, specialmente quelle femminili, alte e ritmate, ai suoni non umani. Amano il gusto dolce e sono in grado di riconoscere un cambiamento del grado di dolcificazione di un liquido dopo due sole succhiate. Tutte queste abilità sono utili per catturare l'attenzione dei genitori e coinvolgerli emotivamente. Per molti genitori sono cose risapute, altri magari pensavano che il figlio si comportasse così perché era un bambino speciale. Altri ancora, sentendosi dire che il sorriso del neonato è "solo una smorfia", si saranno ricreduti, pensando di aver sbagliato a interpretarlo come un segno di socievolezza. Oggi siamo in grado di dimostrare con sicurezza che i neonati presentano costantemente queste risposte sociali, e che quindi non si tratta di eventi straordinari, da cui i genitori possono dedurre che il loro rampollo è un fenomeno.

La ricerca dimostra anche che i neonati sono finemente sintonizzati sul comportamento e sugli umori di chi sta loro vicino. Capita spesso, per esempio, che un neonato pianga se la persona che lo tiene in braccio sta parlando di qualcosa di molto triste.

Il risvolto negativo di questa natura sensibile, attiva e protesa verso l'esterno è che spesso il neonato può sentirsi sommerso dagli stimoli. I rumori dell'ambiente, i colori, i genitori e altre persone che lo guardano dritto negli occhi, gli tengono la mano, gli parlano, finiscono a volte per sopraffarlo e il neonato piange o si ritrae (questo accade soprattutto con i prematuri). Chi non ha avuto a che fare almeno una volta con uno di quegli esserini permalosi che reagiscono come ricci, strizzano gli occhi, si girano dall'altra parte e si mettono a piangere, quando uno cercava solo di essere gentile? Può darsi che siano troppo stimolati e ci si dovrà rassegnare a frenare l'entusiasmo.

Siccome i neonati sono individui molto complessi, ciò che facciamo e il modo in cui ci avviciniamo a loro hanno un impatto enorme. Il pediatra e psicoanalista D.W. Winnicott ha scritto che "un neonato non può esistere da solo, ma fa essenzialmente parte di una relazione". Il materiale sempre più vasto della ricerca sull'infanzia dimostra che ciò che conta di più non è cosa portano nell'incontro il genitore o il bambino, ma quello che accade fra loro – la reciprocità dell'interazione, l'effetto che ciascuno dei due ha sull'altro.

Interpretare i bisogni

Per potersi sviluppare e crescere, una persona si deve sentire amata e compresa. È importantissimo entrare in sintonia con il neonato e comunicare con lui. Quando un neonato esprime qualcosa, piangendo, dimenandosi, sorridendo, emettendo gridolini e sfoderando tutta una gamma di segnali non verbali, noi interpretiamo i suoi desideri: coccole, cibo, cambio del pannolino, un po' di gioco e un'infinità di altre possibilità. Il bambino non può essere più specifico e probabilmente, nella maggior parte dei casi, non sa cosa vuole; ci fa semplicemente sapere come si sente. Ricevere risposta alla sua comunicazione, sentire che riflettiamo sugli interventi che in passato hanno funzionato dà al neonato la sensazione di essere aiutato e gli impedisce di provare un senso di disintegrazione. Avete mai notato il movimento che assomiglia a quello di un astronauta in uno spazio senza gravità, con le braccia e le gambe aperte? A volte i neonati reagiscono così quando non si sentono sostenuti, quasi fossero sospesi nello spazio senza niente a cui aggrapparsi o a cui appoggiarsi. In genere la reazione di un genitore è quella di prendere il bambino e racchiuderlo fra le sue braccia.

Un'altra cosa che facciamo, forse meno coscientemente, è "tenere unito" il neonato mentalmente, interpretare le sue azioni per lui e dar loro significato. Il famoso psicoanalista postkleiniano Wilfrid Bion parla del compito dei genitori di "contenere" emotivamente il bambino. Spiega che, quando un neonato è bombardato da sensazioni e sentimenti che possono sopraffarlo, il ruolo della madre è di prenderli dentro di sé ed elaborarli per poi riproporli al bambino in una forma più accettabile, di tradurre insomma qualcosa di intollerabile in qualcosa che può essere gestito. Supponiamo per esempio che il bambino pianga perché ha mal di pancia. La madre lo calma parlandogli, spiegandogli che è solo un po' d'aria, lo prende in braccio, gli dà dei colpetti sulla schiena, lo aiuta a ruttare. Il bambino, che magari sentiva di essere sul punto di disintegrarsi, si sentirà sorretto, tenuto insieme, tranquillizzato e soddisfatto.

Se questa esperienza continua a ripetersi, non solo egli ha la sicurezza di essere ascoltato e aiutato a stare meglio, ma acquisisce anche un modello di come si può trattare il disagio. È un inizio di riflessione sui sentimenti e sulle sensazioni. Grazie ad esso il bambino impara a riconoscere le proprie esperienze e a dar loro una forma e avvia il processo della comunicazione e della comprensione reciproca.

A volte ci comportiamo nel modo giusto, a volte no. Procediamo per tentativi ed errori, facendoci guidare dalla sensibilità e dall'osservazione. Vediamo ora alcune situazioni piuttosto comuni relative al periodo dell'allattamento. I brani che riportiamo sono tratti dalle relazioni di studenti che partecipavano a un corso di osservazione dei neonati, che consiste nel far visita con cadenza settimanale, per un periodo di uno o due anni, a una famiglia in cui è nato un bambino. Ogni visita dura un'ora. L'osservatore non prende appunti, ma si immerge nell'atmosfera e solo in seguito registra tutto ciò che è avvenuto durante la sua visita, cercando di non dimenticare nessun particolare. Non cerca dati specifici, né tenta di analizzare ciò che vede, ma si limita a osservare cosa succede. Questo metodo naturalistico è simile a quello usato dagli etologi quando studiano il comportamento degli animali. Poi, nel corso di un seminario si cerca di interpretare l'esperienza descritta. Vengono apertamente scoraggiati sia la tendenza a balzare a conclusioni premature sia l'atteggiamento valutativo. L'obiettivo è di imparare qualcosa sullo sviluppo attraverso l'esperienza. L'osservazione dei neonati è una componente essenziale del training psicoanalitico, ma è anche molto utile per tutti coloro che lavorano con i bambini o operano in un contesto terapeutico, come infermieri, insegnanti, assistenti sociali e medici generici.

Tim, sei settimane, si svegliò lentamente, aprendo e chiudendo a più riprese gli occhi ed emettendo alcuni flebili suoni lamentosi. La madre gli sedeva accanto e lo guardava. Disse con voce infantile: "Torni dal mondo dei sogni, vero? Chissà cosa stavi sognando. Hai sentito il clacson della macchina? Cos'hai incontrato in quell'altro mondo? Qualcosa che vuoi dire alla tua mamma?" Tim emise un suono un po' più forte, tenendo gli occhi fissi in quelli della madre. La madre lo prese in braccio e lo tenne abbracciato. Tim smise di piangere e mosse il capo in cerca di cibo. "Hai fame, non è vero? Vuoi un po' di latte nel pancino?" disse la madre. Si sbottonò la camicetta e avvicinò il bebè al seno. Lui esitò un attimo, poi si attaccò con avidità al capezzolo. Mentre succhiava, Tim teneva gli occhi fissi su quelli della madre, che intanto gli parlava dolcemente, guardandolo anche lei. "Hai fame, vero? Chissà che gusto ha il latte nella tua bocca. È dolce, ma tu conosci solo il dolce, come sapore. Probabilmente ha un gusto diverso ogni volta, vero?" Tim lasciò il capezzolo, la guardò, poi riprese a succhiare.

In questo caso la madre cerca di mettersi nei panni di Tim, di immaginare quello che sente e di adattare ciò che gli offre a quello di cui pensa abbia bisogno. Parlandogli e guardandolo si mantiene in contatto con lui e aggiunge delle parole – cioè dà forma e significato – al suo principio di comunicazione. La mamma nota il lamento del bambino e gli fa provare l'esperienza di essere ascoltato. Poi interpreta il suo disagio come bisogno di cibo, e glielo offre. Allo stesso tempo la madre capisce il delicato momento del passaggio dal sonno alla veglia e tratta il bambino con dolcezza, aiutandolo a svegliarsi, tranquillizzandolo con la voce e con le attenzioni che gli riserva. Lo contiene.

Un altro esempio illustra un modo più fisico di tenere il bambino:

Hannah, anche lei di sei mesi, è tra le braccia della madre e si eccita nell'aspettativa di quello che sta per succedere. Gira il capo e il corpo nella ricerca attiva e determinata del seno. La madre si rivolge a me dicendo: "Vedi, sa cosa sta per succedere". Tiene nell'incavo del braccio il capo della bambina, e intanto le offre il seno; la bimba si attacca subito al capezzolo; per un paio di secondi non succhia, ma agita le manine e scalcia, si contorce un po' come per sistemarsi prima di cominciare a succhiare. Ben presto si tranquillizza e le manine si posano sul seno della madre. Non c'è più nessun movimento, tranne il succhiare ritmato, intervallato da brevi pause. Noto che la madre la tiene molto vicina, usando ambedue le braccia per racchiuderla. I loro corpi sembrano quasi modellarsi per adattarsi l'uno alla forma dell'altro, fino a sembrare uno solo. Sono assorbite l'una nell'altra. La stanza è silenziosa per circa venti minuti. Hannah dorme sul seno della madre. Non so se la bambina lascia il capezzolo o se è il capezzolo a cadere dalla sua bocca.

La madre tiene la piccola stretta tra le braccia; capisce che Hannah è eccitata per l'aspettativa della poppata e le offre il seno. Poi, grazie all'atteggiamento calmo della madre e all'evidente piacere che prova nell'allattare la bimba, entrambe si tranquillizzano. Vediamo con che naturalezza questo può diventare un momento di unione, in cui madre e figlia si sentono una cosa sola; questa sensazione permea molti dei primi contatti fra madre e neonato, ed è tanto più intensa in quanto una parte del corpo di uno dei due è dentro all'altro. È presente anche, ma in modo meno evidente, nell'allattamento artificiale e perfino con le prime pappe, dove il biberon e il cucchiaino possono rappresentare un'estensione del corpo della madre.

A volte l'allattamento può diventare una situazione molto stressante, forse in conseguenza di un parto difficile, o del profondo senso di isolamento e solitudine della madre, oppure perché la madre è ancora alle prese con ciò che il nuovo arrivato significa per lei e per la sua famiglia.

La madre di Lucy mi dice: "Il weekend è stato terribile. Siamo andate a trovare i miei genitori. Lucy era agitatissima. Continuava a rifiutare il seno. Lunedì sono andata alla clinica e ho scoperto che aveva messo su solo mezzo chilo da quando è nata. È talmente frustrante. Adoravo allattare la sorellina di Lucy. Anche di notte. Solo io e la bambina, noi due sole al mondo, assorbite una dall'altra. Con Lucy non provo la stessa sensazione".
Mentre la madre parla, Lucy (che ha sei settimane di vita) piange. Sua madre prende un cuscino e una rivista. Mette Lucy sul cuscino. Lucy piange più forte. La madre non riusciva a ricordare a quale dei

17

due seni la doveva attaccare. Ci mise parecchi secondi a deciderlo ed ero preoccupata che l'attesa durasse troppo. Non appena le fu offerto il seno, Lucy si attaccò immediatamente e cominciò a succhiare con energia, premendo il seno con le dita e agitando leggermente i piedi. Tutt'a un tratto scalciò, lasciò il capezzolo e lanciò uno strillo. Poi si girò, pianse un po' e riprese a succhiare, contorcendosi. La madre la staccò dal seno e disse: "Dài, riprendi un po' fiato". Lucy, seduta sulle ginocchia della madre, strillava furiosamente, con il viso tutto contratto. La madre le strofinò la schiena cercando di farla ruttare, senza risultato, mentre Lucy continuava a piangere. Poi la avvicinò di nuovo al seno e anche questa volta Lucy prese il capezzolo e succhiò per circa trenta secondi. Inghiottì aria e cominciò a piangere, raggomitolando il corpo. La madre la mise ancora seduta. Lucy si mise a strillare e divenne tutta rossa in viso. La scena si ripetè per tutta la poppata.

Qui vediamo una madre che diventa ansiosa al solo pensiero dell'interazione con la piccola; racconta che la poppata per lei è disturbante; prepara una rivista per poter pensare ad altro. Lo scambio è permeato dall'incertezza e dalla difficoltà di trovare un'armonia. Sono quelli che, nel suo libro *The First Relationship*, l'americano Daniel Stern, professore di psichiatria e ricercatore, chiama "passi sbagliati nel corso della 'danza'". L'esperienza non è soddisfacente né per la madre né per la figlia; rimangono distanti una dall'altra, e la madre prova un senso di fallimento.

Armonia e disarmonia nell'interazione

È normale che nelle famiglie ci siano periodi di accordo e di disaccordo, periodi in cui si è in armonia e altri in cui non si è affatto sincronizzati. Ma è così, a singhiozzi, che procede la crescita. Speriamo che, facendo un bilancio, i momenti positivi prevalgano e aiutino il bambino e il genitore a superare il disagio e la delusione dei momenti cattivi.

Prestando attenzione alle comunicazioni del neonato e interpretandole, il genitore lo aiuta a trovare un suo posto nel mondo. L'esperienza prolungata di vedere accolte le sue esigenze, di vedere che i genitori cercano di adattarsi a lui, è di grande beneficio per il neonato. Senza questa solida base non sarebbe poi in grado di sopportare la frustrazione e l'attesa.

Per studiare la sensibilità dei neonati alla comunicazione adulta sono stati condotti esperimenti nei quali l'interazione fra la madre e il bambino viene interrotta. Gli studi fatti hanno dimostrato che l'interazione di un neonato con un genitore è caratterizzata da attenzione e brevi pause, secondo uno schema ritmico che consente ai due partecipanti di intervenire a turno e di influire sull'andamento del rapporto. La reazione dell'uno detta la risposta dell'altro. I primi esperimenti presentavano a neonati di tre settimane, agitati, una faccia silenziosa che annuiva. I bambini piangevano; poi, quando la faccia spariva, smettevano. Ricerche ben documentate, portate avanti per alcuni anni, hanno studiato le "facce immobili". Madre e bambino vengono fatti accomodare in una stanza e vengono ripresi con una telecamera. Il neonato è seduto comodamente. All'inizio si chiede alla madre di interagire normalmente con il suo bambino, senza però prenderlo in braccio. Poi la si fa allontanare dalla stanza per un breve periodo. Quando torna, le viene chiesto di presentare al bambino, per quarantacinque secondi, un volto immobile, privo di espressione. Le reazioni di entrambi vengono monitorate e riprese con la videocamera. I risultati dimostrano che un viso impassibile angoscia e inibisce il neonato. L'effetto è straordinario: il neonato scopre quasi immediatamente che c'è stato un cambiamento e cerca di provocare una reazione. Di solito si gira dall'altra parte e poi si rivolge di nuovo verso la madre. Spesso ci riprova più volte. Dopo un certo numero di fallimenti si abbandona sulla seggiolina, si chiude in se stesso e cerca di consolarsi da solo. Dall'osservazione dei video risulta evidente inoltre che la reazione del bambino turba la madre, che a sua volta si agita e si chiude in se stessa.

La ricercatrice inglese Lynne Murray ha ideato altri esperimenti che prevedono la videoregistrazione dell'interazione fra madre e neonato. All'inizio madre e bambino vengono ripresi durante una normale interazione. Circa trenta secondi dopo, al neonato viene mostrato il video in cui compare la madre. Il neonato vede la madre animata e attenta, ma, siccome si tratta di una registrazione, le sue reazioni non sono più sintonizzate sul comportamento specifico del bambino, che di conseguenza diventa confuso e scontento. Lynne Murray distinse fra "perturbazioni naturali e non naturali", dimostrando che i normali elementi di disturbo, per esempio la madre che parlava con un'altra persona, non inquietavano il bambino, mentre il comportamento "incomprensibile" della madre, come un viso impassibile o delle reazioni sfasate (per esempio un sorriso smagliante mentre lui protestava), all'inizio lo sconcertavano, per poi lasciarlo infelice e confuso. Anche le madri erano turbate quando vedevano le videoregistrazioni delle reazioni dei loro bambini.

Possono sembrare degli esperimenti crudeli, ma non dimentichiamo che si tratta di momenti isolati, che occupano solo qualche minuto della vita di un bambino. Dimostrano però con chiarezza quali sarebbero le implicazioni se fosse questa l'esperienza costante del rapporto fra genitore e figlio. Il lavoro di Lynne Murray ha dato il via a ulteriori ricerche sulle famiglie in cui la madre soffre di depressione post-parto, che si sono rivelate molto utili per individuare segni precoci di interazioni disturbate e per poter quindi intervenire in aiuto della famiglia.

Questi e altri esperimenti mostrano che ciò che conta è l'interazione fra genitori e neonati, sono cioè le risposte specifiche che vengono date agli individui coinvolti nella relazione. Per poter crescere i bambini hanno bisogno di essere guardati e ascoltati, hanno bisogno di risposte. Ma la ricerca dimostra anche che una sensibilità media è quella che funziona meglio per uno sviluppo sano: il genitore, cioè, fa errori di interpretazione e la coppia genitore-neonato recupera. È rassicurante sapere che come genitori non siamo tenuti a "azzeccarci" sempre. È anche molto in linea con l'idea di questo libro che il recupero dopo un momento di disarmonia promuova lo sviluppo, perché probabilmente le esigenze del bambino verranno soddisfatte in misura maggiore, e non inferiore. Citando ancora una volta Winnicott, i neonati hanno bisogno di "una madre sufficientemente buona". La capacità di dire no deve essere accompagnata dalla sensibilità alle esigenze del bambino. Uno dei sottili confini da tracciare riguarda il momento in cui è giusto cominciare a dire no.

Ricordo un bambino di nome Jim, che osservai nei primi due anni di vita. La madre era molto attenta e premurosa, sembrava che sapesse sempre cosa voleva il bambino e spesso preveniva i suoi desideri. A quei tempi ero convinta che fosse la madre ideale. Quando Jim aveva undici mesi e non camminava ancora, gli piaceva tenere la mano della madre e, con il suo aiuto, "arrampicarsi" su e giù per le scale. Lei gli teneva le mani e lui si slanciava in su, senza riguardo per la madre che si doveva curvare in avanti per sostenerlo. Pretendeva di continuare a lungo questa attività, e lei sembrava incapace di stabilire con fermezza quando doveva smettere. Alla fine la madre era esausta, e lui diventava spietato e tirannico. Dovetti ricredermi e capii che la madre ideale non esiste.

Sembra una situazione perfetta (la madre che risparmia al suo bambino qualsiasi tipo di irritazione), ma in realtà non funziona. Con l'andare del tempo capii che Jim aveva una bassissima tolleranza della frustrazione e che faceva molta fatica a gestire le difficoltà. Con la sua indulgenza, la madre non lo aiutava a costruirsi una forza fisica, perché il bambino non usava i suoi muscoli per salire le scale, e nemmeno emotiva. Jim inoltre sembrava convinto di fare tutto da solo. Veniva privato dell'esperienza di sviluppare le proprie capacità e di capire che aveva bisogno dell'appoggio della madre. Di conseguenza, era incapace di chiedere aiuto e invece strillava una richiesta, o piuttosto un'urgenza, che veniva subito soddisfatta. Magari aveva l'impressione di arrivare in cima in virtù della sua volontà di salire le scale. Non riconoscendo il ruolo della madre, era incapace di sviluppare un sentimento di gratitudine.

Dicendo no, la madre avrebbe permesso a Jim di farsi un'idea di quello che riusciva o non riusciva a fare da solo, oltre che di quello che per lei era agevole, o che le costava fatica. La sua riluttanza a opporsi al bambino ne fece un piccolo despota. Questo modo di comportarsi finiva per caratterizzare tutto il loro rapporto, e il tempo passato insieme era spesso infelice: la madre si sentiva tiranneggiata e impotente, mentre Jim era irritabile e pieno di pretese.

Per me, questa osservazione mise in luce il fatto che ciò che è appropriato a un'età può non esserlo a un'altra. I neonati e i bambini piccoli si muovono e apprendono a un ritmo molto veloce; ci dobbiamo adattare ai loro bisogni che cambiano. In questo esempio, Jim quando era molto piccolo trasse beneficio dalle risposte immediate della madre, che gli diedero fiducia e il senso di essere sorretto e amato. Ma più tardi questo atteggiamento gli impedì di diventare indipendente e contribuì a sviluppare in lui un senso di onnipotenza. Sembrava che per entrambi fosse impossibile tollerare la fase intermedia, quella in cui, non riuscendo a fare qualcosa da soli, si prova e pian piano si raggiungono dei risultati. Le due uniche alternative erano il successo e il fallimento: il necessario percorso di apprendimento non era previsto.

Per imparare dobbiamo innanzitutto essere nella condizione di non sapere qualcosa. Se si pensa di sapere già tutto, non si può ascoltare niente di nuovo. Per diventare più forti bisogna riconoscere di non poter fare tutto immediatamente. Per acquisire qualcosa dagli altri bisogna pensare che abbiano qualcosa da offrire. Condizione indispensabile per poter chiedere aiuto, e farne poi buon uso, è quella di rendersi conto della propria dipendenza. Le basi di questo atteggiamento vengono poste durante l'infanzia. Molti bambini, e perfino adolescenti, vivono in uno stato di falsa indipendenza e di pseudomaturità e hanno grande difficoltà ad apprendere dagli insegnanti e a trarre beneficio dalle attenzioni di chi si occupa di loro.

Esseri distinti

Dire no è un modo di comunicare che siete un essere distinto. I primi passi verso questa condizione di separazione sono importantissimi. All'inizio la capacità di un neonato di cavarsela da solo è molto limitata. A differenza di altri mammiferi, l'essere umano rimane a lungo estremamente dipendente. Se un genitore risponde subito a qualsiasi pianto o a qualsiasi comunicazione, il neonato può addirittura credere di non essere affatto distinto da lui. È a disagio, chiama e prima ancora di poter capire cosa sta succedendo, ecco il viso del papà o della mamma che gli sorride sopra alla culla. Se le cose vanno sempre così il bambino può non rendersi conto che i genitori hanno una vita propria. Winnicott scrive: "Un adattamento completo assomiglia alla magia, e l'oggetto che si comporta in modo perfetto non è nulla più che un'allucinazione". Se c'è un momento di vuoto, un intervallo, l'attesa stabilisce nella mente del bambino la realtà della persona che arriva quando lui chiama.

Il genitore perfetto non esiste. L'idea di poter soddisfare ogni bisogno del bambino e di potergli risparmiare ogni sofferenza finirebbe in realtà per produrre un individuo infelice e mal adattato. Non lo preparerebbe a vivere in un mondo abitato dagli altri; inizialmente il mondo sarebbe un regno magico di cui egli è il re, ma con l'andare del tempo si trasformerebbe in un luogo molto solitario e irreale. Mi viene in mente la storia del principe Siddhartha, a cui i genitori volevano risparmiare la vista di qualsiasi forma di bruttura e sofferenza. Lo tennero rinchiuso nel loro splendido palazzo, ma tutto il loro potere e la loro ricchezza non bastarono a proteggerlo, perché un giorno egli andò nel mondo, scoprì la sofferenza degli altri e divenne il Buddha. Molti altri miti e racconti popolari illustrano questa realtà, che cioè tutte le ricchezze del mondo non possono sostituire un autentico contatto umano con gli altri, anche se comporta sofferenze e dolore. Un vero rapporto implica frustrazione, lotta e odio, oltre che conforto, armonia e amore.

Ricevendo una risposta alle sue comunicazioni, il neonato sente di esistere e di essere reale. Se si frappone un piccolo intervallo fra la comunicazione e la risposta, comincia a farsi strada in lui l'idea di far parte di un mondo più grande. È nei periodi di tempo passati nell'attesa che si insinua il giudizio. Ma, come abbiamo visto negli studi riportati prima, l'assenza di risposta, o una risposta inadeguata, può essere molto allarmante per il bambino. Come si fa a decidere di volta in volta cosa è giusto?

Spesso il neonato emette appena un suono, e subito qualcuno lo prende e interviene: gli cambia il pannolino, gli dà da mangiare, gli offre un giocattolo. Cercando di essere genitori perfetti, il cui bambino non si sente mai frustrato, a volte interpretiamo troppo presto i suoi bisogni, prima che abbia avuto il tempo di assaporare la propria sensazione. Attribuiamo significato al principio di un bisogno, con la conseguenza, magari, di privare il bambino dell'esperienza di provare davvero e appieno quella sensazione. Vogliamo proteggere nostro figlio, ma in realtà finiamo a volte per sottrargli la sua stessa esperienza. Pensiamo che funzionino anche per lui le stesse cose che danno conforto a noi quando abbiamo qualche disagio. Magari siamo incapaci di tollerare l'attesa, che consentirebbe sia al bambino sia a noi stessi di capire cosa è più vantaggioso. Non sappiamo dire "no" alla richiesta del bambino, ma nemmeno alla nostra interpretazione di quella richiesta.

Conforto istantaneo

L'idea dell'intervallo fra il pianto del neonato e la risposta è essenziale per lo sviluppo. Consideriamo alcune situazioni in cui è importante essere capaci di dire no.

Il sonno

James è nato dopo un parto piuttosto lungo e difficile. Nelle prime due o tre settimane sua madre Ellen è stanca e piange spesso. James è vivace e sensibile agli stimoli dei genitori, passa molte ore sveglio, si fa coccolare dalla madre, la guarda con occhi adoranti, è insomma un bambino delizioso. Però detesta essere messo nella culla e piange appena perde il contatto con la madre. Dorme poco, e quindi nemmeno Ellen dorme abbastanza. Il risultato è che sono esausti, e di conseguenza diventano irritabili. Quello che all'inizio era un contatto piacevole si trasforma, per Ellen, nell'incapacità di separarsi dal figlio. Si riduce a portarselo nel marsupio per tutto il giorno, mentre cucina, fa i mestieri e durante le varie incombenze quotidiane. Ha l'impressione di non poter nemmeno andare in bagno da sola. James sembra incollato a lei, quasi come un parassita, che vive a sue spese piuttosto che entrare in relazione con lei. Ellen sente che tutto questo non ha niente a che fare con lei come individuo e a volte trova il bambino estremamente irritante.

È uno scenario piuttosto comune. Le madri dicono che i figli diventano viziati e "sanno" come prenderle; si instaura un circolo vizioso di sentimenti infelici, che finisce a volte per caratterizzare un rapporto nel quale nessuno dei due partner soddisfa le proprie esigenze. In situazioni simili, come nel caso di Ellen, spesso si trova la madre che passeggia su e giù con il suo bambino, chiedendogli cos'ha, che cosa vuole. Perché non è felice?

23

Nel caso di Ellen e James, una sera il padre Nick arrivò a casa, prese James e si rese conto che il bambino era esausto. Con l'aiuto di Nick, Ellen riuscì a mettere James nella culla, malgrado le sue proteste, e lo lasciò piangere per un po', finché si addormentò profondamente e più tardi si svegliò fresco e riposato. Questo esempio contiene molte lezioni importanti. Per capire quello che stava succedendo, Ellen ha avuto bisogno di qualcuno che osservasse lei e James dall'esterno. In situazioni del genere il ruolo di padri, nonne, zie, amiche è prezioso.

Finora abbiamo considerato la storia dalla prospettiva dell'adulto; cerchiamo di immaginare come può averla vissuta James. È abituato alla madre, alla sua pelle, gli piace il suo odore e il contatto con i vestiti di lei. Il suo corpo si adagia nelle curve delle braccia della madre, che cambiano posizione per seguire i suoi movimenti. La mamma risponde ai suoi versetti e alle sue espressioni. Com'è diversa la culla, meno cedevole, con le lenzuola fredde che sanno di detersivo! Anche se, agitandosi un po', riesce a trovare la posizione giusta, non è mai confortevole come le braccia della madre. Può sentirsi veramente perso senza di lei, può avere la sensazione di non farcela a stare nella culla. Però, portandolo sempre appresso e prendendolo in braccio non appena fa uno strillo, Ellen rafforza in lui la sensazione che lei sola vada bene e che la culla sia un posto tremendo.

Mettendolo nella culla e cercando di calmarlo, parlandogli e sistemandolo comodamente, gli fa capire che è un posto sicuro e comodo per dormire. Dice no al desiderio del bambino di restare fra le sue braccia, e afferma che a questo punto lui ha bisogno di dormire e che quello è il posto migliore per farlo. Lasciandolo piangere e lamentarsi, ascolta le sue proteste ma si dimostra convinta che sopravvivrà; sa che per il momento ha bisogno di riposo e che fra le sue braccia riposerebbe peggio. Continuando a comportarsi in questo modo crea in lui l'idea che le cose andranno benissimo, rafforzando così il suo senso di sé. Inoltre gli lascia il tempo di trovare i propri strumenti per adattarsi. Dopo un po', infatti, James scoprì che, se si spostava, poteva trovare un posticino confortevole vicino a una copertina arrotolata che Ellen gli aveva messo nella culla.

Alcuni bambini trovano le dita, il pollice, o adottano posizioni particolari, e si consolano così. Altri cercano un conforto più fisico, un oggetto morbido o profumato, altri ancora preferiscono i suoni, altri fissano gli occhi su una luce, una pianta o un disegno sul fianco della culla. Può trattarsi di scelte che scaturiscono dal bambino stesso e che il genitore sensibile capisce, o di una consolazione proposta dal genitore, per esempio una musica che il bambino dimostra di apprezzare. Alcuni gesti abitudinari – un po' di coccole, una canzone, qualche colpetto sulla schiena e un saluto affettuoso – possono diventare uno schema riconoscibile per il bambino, che con il tempo si abituerà alle varie fasi della sequenza, divenuta ormai familiare e rassicurante. Il bambino impara anche che alla fine del sonno la mamma o il papà saranno lì. Sono tutti elementi importantissimi che contribuiscono a tranquillizzarlo. Possono servire non solo per il sonno, ma per i vari momenti in cui il bambino deve stare solo: nella sua seggiolina, nel box o in qualsiasi altro posto.

È l'inizio di una crescita emotiva, un primo passo verso la capacità di attingere al proprio interno e sviluppare delle proprie risorse, senza aspettare che sia il mondo esterno a provvedere. Questa capacità dipende molto dal fatto che il bambino riceva abbastanza amore e comprensione, che sono il "carburante emotivo" che gli permette di percorrere un tratto di strada da solo.

Una risposta immediata può privare il bambino della possibilità di imparare a stare solo, cosa da cui potrebbe trarre un grande piacere.

Michael, nove settimane, si stava muovendo. Si acciglò leggermente, poi sorrise. La culla oscillò con i suoi movimenti, perché era sospesa con un gancio a una struttura fissa. Per circa mezz'oretta fu affascinato da questa attività. Il suo viso continuava a cambiare espressione, apparentemente senza sforzo o disagio. Muoveva la mano, a volte passandosela sul viso o sulla bocca. Increspava le labbra, facendo le bollicine. Di tanto in tanto le palpebre avevano un fremito, come se cercasse di aprirle, ma rimaneva sempre al di sotto del livello di coscienza, e riprendeva subito un sonno tranquillo. Poi mosse le gambe, i movimenti diventarono più decisi e d'un tratto gli occhi erano aperti. Emise un lieve lamento, ma non piangeva. Guardava il bordo arricciato della tendina che ondeggiava leggermente al di sopra della culla. Le mani si agitavano in aria e gli occhi si spostavano da sinistra a destra, guardando la tendina ondeggiante ai due lati della culla. Prese a scalciare eccitato; la culla si mise a oscillare più forte, le tendine sbattevano. Aveva liberato entrambe le mani dalla coperta e agitava i pugni in aria, sempre scalciando. Aveva gli occhi spalancati, incantati a osservare la tenda che oscillava sopra di lui, la bocca era atteggiata a un "O" di sorpresa. Di tanto in tanto emetteva dei versetti di delizia. Sembrava veramente contento ed eccitato.

Se Michael fosse stato preso in braccio subito, appena aveva cominciato a muoversi e ad emergere dal sonno, avrebbe perso l'occasione di esplorare le sue mani, di produrre delle bollicine con la bocca, di osservare l'ondeggiare delle tende, di notare l'effetto dei suoi movimenti sulle oscillazioni della culla, di acquistare insomma da solo un senso di sé, libero di far proprio il mondo a un ritmo che gli fosse congeniale. Questa possibilità gli ha dato non solo un momento di piacere, ma anche l'esperienza emotiva di svegliarsi dolcemente da solo, gli ha insegnato che può esplorare ciò che lo circonda e goderne per conto proprio. Sta cominciando a utilizzare le risorse che ha dentro di sé, senza doversi appoggiare a una presenza esterna che lo sorregga o lo interessi. Questa possibilità si può presentare in molte altre occasioni, non solo al risveglio, ma in tutti i momenti in cui un neonato è solo. È un breve momento che racchiude in sé i semi dell'indipendenza e della fiducia in se stessi.

Il cibo

A volte, quando cerchiamo una soluzione veloce al malessere di un neonato, facciamo quello che sembra giusto a noi, ma che non necessariamente è giusto per lui. Gli assistenti sociali vedono spesso genitori che come conforto offrono immediatamente cibo, mentre a volte basterebbe parlare al bambino o cantargli qualcosa, tenerlo fra le braccia o sostenerlo anche solo con lo sguardo. Se il cibo è sempre la prima soluzione, le esperienze ripetute insegneranno al bambino che quando si lamenta l'unica risorsa è il cibo. Ecco alcuni esempi tratti dall'osservazione dei neonati.

Julie, una neonata di dodici settimane, era rimasta sdraiata sul dorso per dieci minuti abbondanti, divertendosi con una giostrina posta al di sopra di lei. La madre, Paula, si avvicinò, chiacchierò un po' con lei e le accarezzò una guancia, poi si allontanò per terminare alcune faccende. Julie riprese per un paio di minuti a scalciare, a gorgheggiare e a guardare dietro di sé. La cosa mi stupì, perché immaginavo che, vedendo la madre allontanarsi, avrebbe protestato. Il gorgoglio si tramutò in un suono più insistente, che però non era ancora pianto, poi, molto rapidamente, anche se non proprio di colpo, la bimba cominciò a ritrarre le labbra, mostrando le gengive, e il lamento si trasformò in un pianto lieve. Il viso cambiò colore, la bimba diventò tutta rossa, chiuse gli occhi e serrò i pugni. Paula entrò e disse: "Povera Julie! Hai fame?" e mise un dito in bocca alla bambina. Julie non lo succhiò come aveva fatto le volte precedenti. Paula disse: "Hai fame. Un momento, un momento". La prese in braccio e la bambina si calmò.
Paula cercava di ricordare a quale seno la doveva attaccare e intanto Julie la guardava. Si decise per il seno destro, Julie si attaccò e la madre disse: "Brava bambina!" Julie succhiò tranquillamente per circa otto minuti: succhiava, si riposava un po' e ricominciava a succhiare. Dopo un po' Paula la staccò dal seno e le chiese: "Basta co-

sì?" Julie sembrava perplessa, un po' imbambolata e non proprio a suo agio. Mi ricordava gli antichi imperatori romani che si abbuffavano e poi vomitavano. Paula lasciò la stanza per rispondere al telefono e Julie sembrò un po' persa. Cominciò a corrugare il viso e a piangere. La mamma rientrò e disse: "Oh, hai ancora fame, scusami". Allattò Julie all'altro seno. Questa volta la bambina sembrava affamata. Riprese subito il ritmo di prima, succhiava e ogni tanto faceva delle brevi pause. La poppata durò altri quindici minuti circa. La madre disse: "Adesso smettiamo un momentino", e telefonò a un'amica, prendendo accordi per vederla a pranzo quel giorno stesso. Parlarono di cosa avrebbero mangiato. Siccome Julie protestava, Paula interruppe la telefonata dicendo che doveva finire di allattare Julie. Julie succhiò ancora un po'. Dopo qualche minuto la madre la staccò dal seno. Adesso Julie sembrava veramente sul punto di crollare e chiuse gli occhi. Si addormentò, grossa, sazia e soddisfatta. Paula telefonò a un'altra amica per pranzare insieme un altro giorno. Anche questa volta discussero il menu. Poi andò a prepararsi qualcosa da mangiare e quando tornò sembrava più in forma. Guardò la bambina con occhi adoranti e le accarezzò il pancino dicendo: "Brava bambina". Julie si mosse appena; le sue labbra ogni tanto facevano il movimento di succhiare, come se stesse ricordando la poppata.

In questo esempio vediamo che, quando Julie piange, la madre pensa subito che abbia fame. In realtà il pianto potrebbe avere molte altre interpretazioni: magari la bimba voleva un po' di compagnia, oppure un cambiamento di scena; o forse era scomoda perché era stata troppo a lungo supina e non era capace di cambiare posizione da sola. Julie comincia a mangiare tranquillamente e alla prima interruzione sembra piena, come se avesse mangiato pur non essendo veramente affamata. Ma, man mano che, con varie interruzioni, la poppata procede, sembra succhiare con più energia. Ne potremmo dedurre che dopo tutto era affamata, oppure che sta imparando ad adattarsi all'interpretazione materna di cosa fa star meglio: mangiare. Sta anche imparando che la mamma apprezza il fatto che lei mangi sempre, tanto è vero che alla fine accarezza il suo pancino arrotondato.

Dal comportamento della madre vediamo che lei stessa ha bisogno di nutrimento, del contatto con le amiche al telefono e anche della prospettiva di vari pranzi. Il cibo è una fonte di conforto comune a molti di noi, adulti e bambini. In questo esempio si direbbe che la madre offra anche alla bambina quello che fa stare meglio lei. È un comportamento molto comune. Un'altra possibilità sarebbe stata quella di aspettare per vedere se Julie, con il suo comportamento, riusciva a indicare di cosa aveva bisogno.

L'osservazione continuò per varie settimane, nel corso delle quali l'offerta della poppata a ogni pianto, anche il più discreto, diventò un'abitudine fissa; il principale contatto di Julie con la madre era durante l'allattamento. Mancavano altre forme di interazione, fosse anche stato il semplice prenderla in braccio, parlarle un po', mostrarle dei giochi. Per tutto questo periodo Paula sembrava un po' depressa, scarsamente appoggiata, molto bisognosa di compagnia e di cibo vero e proprio. Man mano che si rilassava e si sentiva più a suo agio nel nuovo ruolo di madre, riuscì a trovare altre attività e altre interazioni che procuravano piacere sia a Julie che a lei. Quando Julie aveva ormai cinque mesi e mezzo, le parlava in tono amorevole, dicendo: "Esistono cose più interessanti del cibo al mondo, non è vero?"

La troppa importanza attribuita al cibo ha spesso origine dall'insicurezza della madre, che pensa di non avere niente altro da offrire. Almeno il latte viene da dentro di lei, e si sa che fa bene al bambino. Molte madri dicono che il bambino non è interessato a loro come persone, che vuole solo il latte. E allora cominciano a pensare che l'allattamento sia il loro unico contributo.

Anche le madri che scelgono l'allattamento artificiale possono avere la sensazione che sia ciò che di meglio hanno da offrire al bambino. Magari pensano che quello che viene da loro non sia buono, e cercano di rimediare dando al piccolo troppo latte artificiale.

Finalmente, dopo due aborti e un parto molto difficile, Anna era riuscita ad avere Carl. Era molto insicura, aveva paura di non essere capace di occuparsi del bambino e di tenerlo in vita. I primi contatti furono incerti, perché Anna aveva l'impressione di non capire i suoi segnali.

Anna prende in braccio Carl piangente (il piccolo ha tre settimane), se lo appoggia alla spalla e gli dà dei colpetti sulla schiena. Carl cerca di succhiare la pelle della madre. Anna se lo mette in grembo, poi lo appoggia di nuovo alla spalla, e il bambino comincia a succhiarle il colletto. Anna dice: "Non so cosa vuole, mi sembra di averle provate tutte! Anzi, no! Non l'ho ancora messo a pancia in giù". Mette Carl a pancia in giù tenendoselo in grembo e gli accarezza la schiena. Carl cerca di sollevare il capo e piange. Finalmente Anna prova a dargli da mangiare. Gli offre il seno, e Carl si attacca immediatamente. Il corpo e le gambe del bambino si rilassano, adattandosi ai contorni del corpo di Anna.

A differenza della madre di Julie, Anna non pensa subito che Carl voglia il suo latte. Prima di immaginare che Carl possa avere fame, o che semplicemente abbia voglia di succhiare, le vengono in mente molte altre possibilità. Carl aumenta di peso, mangia bene e con soddisfazione, ma nelle settimane successive Anna si convince di non avere abbastanza latte e passa al biberon. Carl continua ad aumentare di peso e raggiunge il massimo previsto per i bambini della sua età. Si crea uno schema fisso di rapporto, per cui Carl sembra voler mangiare più a lungo di quanto Anna desideri, e Anna dice che il bambino non fa altro che mangiare.

Carl ha undici mesi; piange e si mette il pugno in bocca. "È impossibile che tu abbia fame di nuovo, hai mangiato un'ora fa! Proviamo a finire quello che hai lasciato". Anna gli dà il biberon in cui è rimasto qualche decilitro di latte. Non appena ha in bocca la tettina Carl appare contento ed eccitato e si mette a succhiare vigorosamente, con evidente sollievo. Finisce rapidamente il biberon e ricomincia a piangere. Anna prende un altro biberon e Carl reagisce esattamente allo stesso modo. Quando finisce, ha il latte che gli cola dalla bocca e sembra sazio.

Ormai sembra che Carl voglia sempre mangiare. Anna fa fatica a dirgli di no e ha difficoltà a capire quando ha mangiato abbastanza. Non è un compito facile nemmeno per noi adulti: cosa vuol dire "abbastanza"? Fra Anna e Carl si instaurò un rapporto basato sul cibo. Anna pensava che Carl lo volesse e Carl non riusciva a smettere. Nessuno dei due era capace di dire no, interrompendo questo ciclo di alimentazione costante. Diventò difficile introdurre altri modi di stare insieme, in cui Anna offrisse un diverso tipo di "cibo", che comportasse magari la conversazione, l'interazione, che desse a Carl alimento per il pensiero, altre esperienze da digerire oltre al nutrimento fisico vero e proprio. Gli schemi fissi di rapporto sono difficili da rompere e i cambiamenti al loro interno difficili da percepire. Quando Carl cominciò a lanciare nuovi segnali, Anna impiegò del tempo a riconoscerli.

Carl (ventun settimane) è sdraiato sul pavimento ed è interessato ai giocattoli che lo circondano. Anna lo prende in braccio e Carl piagnucola. Anna dice: "Oh, hai fame, ti vado a prendere il latte". Rimette Carl sul pavimento e va a prendere il latte. Quando torna Carl sta guardando un cane di pezza e sembra tranquillo. Anna lo prende, gli dà il biberon e Carl lo beve tutto.

Vediamo come sia difficile per Anna notare il cambiamento di Carl, il suo interesse per i giocattoli. L'abitudine del cibo prende il sopravvento e tornano entrambi allo schema familiare. Altri neonati protesterebbero e si girerebbero dall'altra parte, oppure esprimerebbero più chiaramente il loro desiderio di giocare, sporgendosi e tendendo il corpo verso il giocattolo.

In questa coppia madre-figlio c'è stata, all'inizio, una forma poco vantaggiosa di adattamento reciproco. L'alimentazione eccessiva, l'incapacità di dire no, hanno fatto di Carl un bambino mai soddisfatto, sempre affamato o bisognoso di qualcosa, con il risultato che è diventato sovrappeso. Con l'andare del tempo Anna è riuscita a imporsi con più fermezza, ha imparato a offrire al bambino un po' d'acqua o a distrarlo con dei giochi. L'ansia di Anna, causata dai precedenti aborti e dal parto difficile, le impedivano di vedere che il bambino metteva su peso e diventava florido. L'insicurezza, la paura che il suo latte fosse insufficiente l'avevano indotta a passare al latte artificiale. Ma anche così le risultava difficile rendersi conto che il bambino era sano e stava bene. Solo quando diminuì la preoccupazione per la sopravvivenza del bambino, Anna riuscì a stabilire i normali confini e a trovare altri modi di stare con lui.

Abbiamo visto che nei primi periodi della convivenza è piuttosto difficile capire il neonato. Interpretiamo le sue comunicazioni in base al nostro modo di reagire a un bisogno e in base alle nostre idee su come si accudiscono i bambini. La nostra risposta alla comunicazione del bambino lo aiuta a dare un senso ai suoi sentimenti. Le mamme di Julie e di Carl, sebbene con modalità diverse, interpretavano il bisogno espresso dai figli soprattutto come fame; così i bambini impararono a mangiare e, nel caso di Carl, a chiedere cibo non appena sentiva dentro di sé un vuoto, il bisogno di qualcosa. Queste abitudini, se persistono invariate, più avanti possono generare dei problemi; ma nella maggior parte delle famiglie sono passeggere e vengono presto superate, come è accaduto nei due esempi appena analizzati. Sono le normali difficoltà di adattamento di due persone che si trovano insieme in un momento delicato, in cui entrambe sono particolarmente sensibili e vulnerabili.

Azione ed eccitazione

Gli aspetti fisici dell'accudimento di un neonato – l'allattamento, il cambio del pannolino, il bagnetto, il sonno – rispondono a esigenze chiare che la maggior parte dei genitori riconoscono. La cura dell'aspetto emotivo, che comprende il parlare al bambino o cantare per lui, l'intimità che si crea tenendolo in braccio, l'avvio di un'interazione, è più discreta, ma svolge un ruolo altrettanto importante nel suo benessere.

Alcune madri fanno fatica a stare con il figlio perché hanno l'impressione che abbia sempre bisogno di essere intrattenuto.

Rosie, quattro mesi e mezzo, è seduta nel girello e gioca con un grosso giocattolo di plastica munito di pulsanti. Quando preme un pulsante, da un altoparlante laterale esce un suono. È animata e molto concentrata. Guarda i pulsanti con gli occhi sgranati e le labbra serrate, poi spalanca la bocca, sbavando un poco. Liz, la madre, si unisce al gioco facendole domande sui suoni e azionando una manopola che li modifica. Rosie guarda me e Liz, poi torna al suo gioco. Dopo un po', a furia di dimenarsi e di picchiare, si trova in una posizione scomoda. Comincia a sentirsi frustrata, e allora picchia più forte e cerca di mettersi in bocca dei pezzi del giocattolo. Attacca a piagnucolare. La madre le toglie il giocattolo e le offre un libro di pezza. Rosie se lo mette in bocca e lo morde. Fa una smorfia, se lo toglie di bocca e lo guarda. Allora Liz le offre un anello per la dentizione, che Rosie azzanna con decisione. Lo mastica per un po', poi ha un sussulto e si mette a piangere. Liz la prende in braccio, Rosie inarca la schiena e comincia a scivolare in posizione sdraiata. Liz la rimette dritta, cercando di farla saltare sulle gambe. Rosie protesta e Liz la mette sdraiata e fa un gioco eccitante con i piedi della bambina, sollevandoli e abbassandoli. Rosie guarda la mamma, tira fuori la lingua, sfrega le labbra una contro l'altra. Poi Liz mima la filastrocca "Occhietto bello, suo fratello"; la bimba continua a sbattere gli occhi, soprattutto alla fine della filastrocca, quando Liz finisce il gioco toccando il naso di Rosie ("campanellino da suonare!").
Suonano alla porta e arriva un'amica, che prende subito in braccio Rosie. La bambina ha un'aria perplessa e seria. L'amica chiacchiera e la fa saltellare su e giù, cercando di strapparle un sorriso. Rosie rimane rigida, poi diventa irrequieta, comincia a dimenarsi, inarca la schiena e si mette a piangere. Liz la prende e la tiene stretta. Rosie si rilassa immediatamente e si rannicchia contro il corpo della madre. Pian piano gli occhi le si chiudono, il respiro diventa più regolare e la bimba si addormenta.

All'inizio vediamo una bambina che è perfettamente capace di giocare da sola. Ma quando la posizione diventa scomoda e la bimba comincia a essere stanca, la madre interviene offrendole altri giocattoli e altre attività. Anche l'amica cerca di distrarre la bambina. Solo alla fine, in braccio alla mamma, abbiamo la sensazione che Rosie ottenga quello che probabilmente desiderava da un po'. Fino a quel momento, per darle sollievo le vengono offerti solo attività, cambiamenti ed eccitazione. La mamma, invece di soffermarsi a osservare Rosie per farsi un'idea di quello che sta cercando di comunicarle, tenta come soluzione vari tipi di stimoli.

È un esempio molto comune. Moltissimi si sentono impotenti di fronte a un pianto o a un lamento e vogliono risolvere subito il problema. Spesso pensiamo di poterci riuscire "facendo" qualcosa.

Se la risposta a un disagio è sempre un'azione di qualche tipo, il neonato impara che solo l'attività fa star meglio. Cosa significa questa dinamica per la madre e per il bambino? Che messaggio viene trasmesso? Forse la madre sta comunicando: "Non sopporto di sentirti piangere, facciamo subito qualcosa per farti smettere". A questo punto il disagio della madre può diventare grande quanto quello del bambino, e questo farà crescere piuttosto che diminuire il malessere del piccolo. Invece di avere una persona che lo rassicura e calma il suo pianto o gli dà una forma, il bambino si ritrova addosso, oltre alla propria preoccupazione, anche quella della madre. Una traduzione utile del pianto del bambino potrebbe essere: "Non ti devi preoccupare, va tutto bene, sei solo stanco (vuoi le coccole, il biberon, una chiacchieratina)". Questo darebbe a entrambi il tempo di capire qual è l'origine del malessere, e alla madre la possibilità di aiutare il bambino a trovare il modo di superarlo.

Cercando di reagire in modo molto attivo, la madre può anche trasmettere questo messaggio: "Forza, cerchiamo di distrarti da quello che ti dà fastidio". Ogni tanto una distrazione fa comodo, ma se viene usata sempre come metodo per affrontare un malessere, assume un altro significato. Il messaggio indiretto trasmesso dal genitore è che trova il lamento, nel migliore dei casi non accettabile, e nel peggiore intollerabile. Dal punto di vista del bambino, quello che è iniziato come un piagnucolio, un semplice lamento che doveva trovar sfogo, viene trasformato in qualcosa che va affrontato. Se il lamento viene interrotto bruscamente, il neonato imparerà ben presto che questi sentimenti sono inaccettabili e che deve trovare il modo di gestirli da solo. Capita a tutti di essere giù di corda; un malumore, una lamentela dovrebbero essere accettabili, non dovremmo avere la sensazione che siano intollerabili. I genitori a volte devono semplicemente imparare a stare con il bambino anche quando è di cattivo umore, ad accettare i suoi lamenti e a offrirgli la loro simpatia: "Sì, lo so che ti senti infelice, capita a tutti di sentirsi così, è tutto a posto, passerà presto, vedrai..."

Gestendo il malumore del bambino, non solo la madre lo aiuta a superare quel momento particolare, ma gli fornisce un modello per affrontare le difficoltà. Tollerando il suo disagio, gli comunica che è un sentimento accettabile e sopportabile, che entrambi si sentiranno un po' giù ma che, alla fine, andrà tutto a posto; rafforza l'idea che un malessere non è la fine del mondo, ma una normale sofferenza che può essere superata. Questo aiuta il bambino a costruirsi un'immagine sicura di se stesso e del mondo. Imparare a superare i problemi è di enorme aiuto per acquisire capacità di recupero e fiducia negli altri.

Se, fin dagli inizi, viene proposta l'attività come modalità principale per affrontare il malessere, anche il bambino adotterà questo modello, come vediamo nelle situazioni seguenti.

Leo, dieci mesi, ha appena imparato a camminare aggrappandosi ai mobili. È piuttosto saldo sulle gambe, ma deve essere tenuto sott'occhio. Gli piace scorazzare in questo modo per il soggiorno, chiamando la madre quando ha bisogno di aiuto per la traversata da una sedia all'altra. Non vuole percorrere quello spazio gattonando. Gira per la stanza lanciando gridolini eccitati, e si mette a strillare quando vuole che la madre accorra ad aiutarlo. Lei lo aiuta, e passano in questo modo parecchio tempo. Per lei l'attività diventa noiosa, ma non sopporta di sentirlo piangere di delusione e lo stato di sovreccitazione del bambino la preoccupa. Leo non sta fermo un minuto e fa fatica perfino a star seduto durante i pasti.

Celia, una bambina di sette mesi, siede come una piccola regina su un tappeto, circondata da tutti i suoi giocattoli. Non è molto mobile e quando vuole che la madre le prenda un giocattolo lo indica con gesti e versi. La madre passa ore a giocare con lei. Celia pretende un gioco dopo l'altro, facendo capire a gesti e a suoni quello che le interessa. Ma se la madre deve fare una telefonata o cucinare, Celia si butta a terra strillando. Non appena la mamma torna, riprende a giocare contenta e tranquilla. La madre non sa cosa fare. Le fa piacere che Celia sia in grado di concentrarsi e di giocare così a lungo, ma le pesa dover essere sempre presente. La preoccupa inoltre il fatto che Celia sia contenta solo quando la si tiene occupata.

Quando la risposta abituale a un disagio è l'attività, spesso il bambino diventa sovreccitato, la madre è esausta, ha l'impressione di essere sfruttata e usata, a volte si sente addirittura soffocare e desidera scappare. Il bambino, a sua volta, diventa estremamente dipendente da un'interazione eccitante e può avere difficoltà a star solo. Se deve arrangiarsi con i suoi mezzi si innervosisce facilmente e non riesce a organizzarsi. La sua dipendenza non è positiva, sembra quasi che la madre o l'attività siano una droga per lui. Da come si comporta pare che non ce la faccia senza di lei. Madre e figlio sono prigionieri di un circolo vizioso, di una situazione sovraccarica di emozioni, che li lascia entrambi insoddisfatti. Come abbiamo visto per il cibo, l'idea di uno spazio vuoto diventa intollerabile sia per il genitore sia per il figlio. Questo dà origine a comportamenti compulsivi e limita l'apertura alle cose nuove. Se si riempie immediatamente un vuoto, solitamente lo si fa con qualcosa di familiare. La creatività, la novità vengono bloccate sul nascere. Inoltre si instaura un'atmosfera emotivamente carica, in cui è difficile che ci sia tranquillità.

Tutto questo può avere delle ripercussioni più tardi sulla "sindrome della noia" che colpisce i bambini della scuola primaria e dà parecchio filo da torcere ai genitori. Crea inoltre un modello che influenzerà il comportamento futuro del bambino, rendendolo incapace di indugiare, di ponderare, di esplorare, di riflettere o di stare semplicemente attento, invece di ricorrere con impazienza all'azione. E può avere un forte effetto inibitorio sulla capacità di giocare e di apprendere.

Man mano che diventa più abile, il bambino trarrà una soddisfazione enorme dal raggiungimento autonomo dei suoi obiettivi. A tutti è capitato di vedere un bambino eccitatissimo perché riesce a produrre un gran fracasso battendo uno contro l'altro due oggetti duri, o perché finalmente, dopo grandi sforzi, raggiunge un oggetto desiderato. Ricordo con ammirazione mia figlia, che passava ore a tirarsi in piedi, lasciarsi cadere e tirarsi su di nuovo. Era meraviglioso vedere il piacere che le procurava la padronanza del suo corpo. I bambini piccoli continuano a fare tentativi e, quando riescono a raggiungere da soli un risultato, la loro autostima ne risulta consolidata. Se non devono fare nessuno sforzo, potrebbero non sentirsi mai interiormente motivati.

La separazione

Per il neonato sentire che è un essere distinto è già un risultato, ma il passo successivo, che è la separazione, può essere difficile sia per lui sia per i genitori. Nel corso della vita di tutti noi ci sono molti momenti di separazione; secondo alcuni il primo è quello della nascita, quando il bambino abbandona il corpo della madre e viene tagliato il cordone ombelicale. È comunque la prima circostanza in cui il corpo deve usare le proprie risorse per cominciare a respirare. Fino a quel momento il corpo della madre ha elaborato anche il cibo e le deiezioni del bambino. Ogni inizio e ogni fine – dell'allattamento, del sonno, di uno scambio di sguardi – rappresentano, anche se in termini minimi, un incontro e una separazione.

Il momento del sonno

Molti bambini vengono cullati, tenuti in braccio a lungo, addirittura scarrozzati in macchina nel tentativo di farli dormire. Sono importanti sia l'atteggiamento dei genitori sia la personalità del bambino. Se avete un bambino sensibile, che sussulta al minimo movimento o al minimo rumore e che piange facilmente, sarete tentati di camminare in punta di piedi, soprattutto se dorme. Come abbiamo visto all'inizio di questo capitolo, uno dei compiti dei genitori è quello di tradurre le emozioni del bambino in qualcosa che è in grado di gestire; ed è anche quello di dargli un'immagine del mondo. Una madre molto attenta a non disturbare il figlio, o preoccupata di svegliarlo, rafforzerà la sua natura sensibile. Adatterà il proprio mondo ai suoi desideri, cosa che però, quando i desideri aumenteranno, diventerà impossibile. Non sto affermando che i bambini sensibili debbano essere bombardati di rumori, ma che dovremmo chiederci qual è il livello ragionevole di caos o di vivacità in casa nostra, tenendo conto anche degli altri membri della famiglia, oltre che di quello che il neonato può sopportare.

Quando un neonato si addormenta, lascia dietro di sé il mondo di coloro che sono svegli intorno a lui. Deve lasciarsi andare. Il modo in cui affrontiamo il momento del sonno sarà fortemente infuenzato dal come noi stesse viviamo l'abbandono, il lasciarsi andare. Molti genitori hanno un po' paura del sonno, soprattutto nei primissimi giorni. Chissà quanti padri e madri sono andati a controllare se il bambino che dorme tranquillo respira ancora. C'è una forte analogia fra il sonno e la morte. A volte si spiega ai bambini la morte di qualcuno dicendo che "è andato a nanna", o che "si è addormentato", senza riflettere sulle conseguenze negative di un simile accostamento. Nel nostro inconscio e nella letteratura il sonno e la morte sono collegati:

Le nostre più intime speranze hanno smentito le paure,
Le paure hanno smentito le speranze.
Pensavamo che morisse quando dormiva,
E che dormisse quando morì.

THOMAS HOOD, *The Death Bed*

Nel sonno ci si può sentire isolati e inaccessibili; capita a volte di temere di non poter tornare da coloro che abbiamo lasciato, o che quando ci sveglieremo non ci saranno più. La nostra capacità di staccarci da nostro figlio può essere influenzata da separazioni difficili avvenute in passato, o da fattori più quotidiani come la necessità di assentarsi tutto il giorno per lavoro, la voglia di rivederlo, l'eccitazione di ritrovarsi insieme, la solitudine e molte altre cose. Tutti questi fattori influenzano il modo in cui presentiamo al bimbo il sonnellino imminente. La convinzione fiduciosa che il sonno sia un luogo piacevole e tranquillo da visitare, uno spazio sicuro nella normale giornata, e magari una serie di gesti abituali prima e dopo il sonno contribuiranno a farglielo apparire un momento più confortevole, integrato nella sua esperienza e non totalmente staccato dal resto della sua esistenza.

T. è una giovane madre alle prese con la prima figlia. Il suo compagno è spesso via per lavoro per periodi piuttosto lunghi e lei non ha nessun familiare vicino. T. ha molti amici e durante il giorno è impegnata. È innamorata della sua bambina, Shona, di nove mesi. Passano tutto il giorno insieme, godendo moltissimo della compagnia l'una dell'altra. La bambina è allegra, attiva, socievole e di buon carattere. Ma le notti sono difficili. T. si sente molto sola. Shona si addormenta tranquilla in braccio, ma appena viene messa nella culla si sveglia e piange. T. non ha mai lasciato che si addormentasse da sola e Shona è abituata ad addormentarsi fra le braccia della madre. T. non sopporta di sentir piangere Shona, perché pensa che una bambina così felice non piangerebbe se non ne avesse una buona ragione. Shona prende l'abitudine di mangiare, dormire un paio d'ore, svegliarsi e mangiare ancora, e così per tutta la notte. La cosa dura per mesi, anche quando è evidente che Shona non ha più bisogno delle poppate notturne. Ma T. non vede una via d'uscita, non vede alcuna soluzione che non comporti disagio per la bambina e di conseguenza per lei. Un'amica capì che sia Shona sia la madre erano ormai esauste. Si trasferì da loro per alcuni giorni, per aiutare T. intanto che il suo compagno era lontano. Le rimase accanto mentre metteva Shona nella culla e la lasciava piangere finché si addormentava. All'inizio Shona piangeva per un'ora, poi sempre meno. Dopo cinque giorni riuscì ad addormentarsi da sola in pochi minuti.

Due cose aiutarono T. a risolvere la situazione. Innanzitutto si rese conto che sia lei sia Shona erano stanchissime. Nella prima parte della giornata la bambina era allegra, ma verso le sei del pomeriggio diventava sempre più nervosa e irritabile. Quando capì che la sua riluttanza a separarsi da Shona e a lasciarla piangere costituiva un problema, decise di cambiare. Il secondo fattore essenziale fu l'appoggio dell'amica. T. e il padre di Shona non ce l'avrebbero fatta da soli. Lui era troppo spesso assente, e quando era a casa era anche lui stanchissimo e preoccupato. Non sono solo le madri *single* a dover affrontare situazioni simili. L'amica di T. la rassicurò facendole capire che il pianto di Shona non era disperato e le fece compagnia mentre anche lei piangeva nella stanza accanto. Con grande sorpresa di T., al suo risveglio il mattino dopo la prima notte di questo trattamento Shona era la solita di sempre, era affettuosa e non dava nessun segno di odiare la madre.

La riluttanza di T. a separarsi dalla bambina che ama è comprensibile; senza il suo compagno e senza la famiglia accanto si sente sola. Inoltre detesta l'idea di infliggere alla sua bimba affettuosa e allegra quella che a lei pare una sofferenza. Dal punto di vista della bambina, la difficoltà a separarsi risulta aumentata in proporzone geometrica; quanto più la madre trova la cosa difficile, tanto più a Shona sembra impossibile. Alla fine venne adottata una soluzione piuttosto drastica. Sopravvissero entrambe e, siccome avevano una solida base insieme, il recupero fu relativamente facile. Entrambe, inoltre, diventarono più forti e non ebbero più bisogno di stare sempre appiccicate.

Se un bambino si addormenta in compagnia, ritrovandosi solo al risveglio può essere spaventato. Non ha controllato la separazione addormentandosi da solo, e magari lo preoccupa l'idea di addormentarsi ancora. Il bambino lasciato nella culla, invece, escogita dei modi per addormentarsi e può godere moltissimo di questo tempo privato che trascorre da solo, come abbiamo visto nel caso di Michael.

Anche il sonno rappresenta un'occasione in cui il bambino può cominciare a formarsi delle risorse interiori. Il sonno non è uno stato di stabilità in cui ci limitiamo a entrare, e che finisce con il risveglio. È attraversato da molte sensazioni e da molte emozioni. Uno dei piaceri dell'attività di osservazione di cui ho parlato è quello di vedere quante cose succedono mentre un bambino dorme. Molti osservatori sono sorpresi da questa capacità di arrangiarsi, di trovare da soli il modo di calmarsi.

Tally, una neonata di tredici settimane, dorme. È supina, con il capo leggermente rivolto a destra. È assolutamente immobile per circa cinque minuti. Poi la bocca si contrae leggermente, e questo movimento è seguito da un'ondata di attività in tutto il corpo. Solleva le ginocchia, con le mani e con le braccia si sfrega il viso e le orecchie. A volte si afferra il capo di lato. Si dimena e si contorce. Aggrotta la fronte con un'espressione di sofferenza; al culmine di questo periodo di agitazione pare che stia per svegliarsi e mettersi a strillare. Si tiene la testa con le mani; mi fa venire in mente l'*Urlo* di Munch. Il viso si distende e assume un'espressione rilassata. Poi la bimba prende a scalciare e agitarsi con forza ed emette suoni che denotano malessere. Si passa la mano sul viso, pollice e bocca si incontrano. La sento succhiare. Muove le braccia e il pollice le esce di bocca. La cosa si ripete più volte. Poi, con un gesto più intenzionale, mette la mano destra sul viso e sembra riuscire a infilare più rapidamente il dito in bocca, e a tenercelo. Succhia e si calma di nuovo.

Vediamo come la piccola Tally sia riuscita a cavarsela, trovando il modo di continuare a dormire. Dicendo no alla tentazione di precipitarci dal bambino che piagnucola creiamo uno spazio per la crescita.

Lo svezzamento

Lo svezzamento rappresenta un'altra fase della separazione.

Josh, un bambino di ventidue settimane, è allattato al seno. La madre, la signora E., deve tornare al lavoro nel giro di poco tempo e in previsione di questo momento sta cercando di svezzarlo. Josh comincia a dare segni di irrequietezza e a brontolare come se stesse per mettersi a piangere. La mamma parla dello svezzamento del bambino, che adesso mangia due volte al giorno. Dice che oggi proverà a dargli del succo di frutta preparato da lei. Siccome Josh è chiaramente scontento, va a prendere il succo. Prende in braccio il bambino, che adesso piange, storce il viso, emette suoni ripetitivi tipo "lalala" e si divincola. La mamma gli parla, ma il pianto è insistente; il bimbo sbava. Lei gli dice che il succo gli farà bene e cerca di darglielo. Josh sfrega la bocca sulla tettina, prende un po' di succo, poi spinge fuori la tettina con la lingua. Ha il viso contratto e tutto rosso e gli occhi chiusi, e strilla a squarciagola. La signora E. è agitata e gli dice di non piangere. Cerca di calmarlo tenendolo in grembo, se lo appoggia sulla spalla, poi tenta di distrarlo. Gli offre una serie di cose: il succo, il dito da mordere, dei giocattoli, un sonaglio, una palla... Niente lo interessa. Gli offre il ciuccio, che Josh rifiuta... Si alza con Josh sulla spalla. Il bambino strilla e lei ha un'aria imbarazzata. Dice più volte: "Dài, smettila!" e gli parla dolcemente. Prova con un preparato per la dentizione che, dice, a volte fa effetto, ma Josh l'assaggia e strilla ancora più forte. Riprova con il ciuccio, poi dice con aria imbarazzata: "Ultima risorsa!" e offre al bambino il seno, dicendogli che lì dentro non c'è niente. Il bambino si calma immediatamente e adesso ha gli occhi pacificamente chiusi. In pochi secondi sembra addormentato, anche se succhia con energia. La signora E. dice: "Non vorrai mica usarmi come ciuccio, il tuo ciucciotto ce l'hai". Dopo due minuti lo stacca dal seno e gli infila rapidamente in bocca la tettarella. Quando viene staccato dal seno Josh accenna un breve pianto, ma poi accetta il ciuccio e, finalmente calmo e pacifico, riprende il sonno.

La signora E. sa di doversi preparare a riprendere il lavoro, dopo aver goduto per un certo periodo dell'intimo contatto con il figlio. Ha parlato all'osservatore delle sue preoccupazioni all'idea di doverlo lasciare. La poppata è importante per entrambi;

non è solo il bambino a rifiutare lo svezzamento. La madre è combattuta: non sa se cedere e aiutare Josh a separarsi da lei, o tener duro e godersi gli ultimi giorni di allattamento al seno. Il momento della pappa risente dell'atteggiamento della madre, che pensa di dover accelerare lo svezzamento. Ma forse si sentono entrambi ancora impreparati a una separazione prematura. Sullo sfondo è in agguato anche il senso di colpa, che in base alla mia esperienza è uno dei principali ostacoli alla capacità di pensare con chiarezza. Lo scenario è quello piuttosto comune del bebè che non accetta niente, diventa molto irrequieto e rifiuta qualsiasi sostituto del seno materno. Dicendogli che lei non è un ciuccio, però, la mamma gli comunica con una certa fermezza, almeno a parole, che non ha bisogno di prendere il latte dal seno, che infatti è vuoto, e deve accontentarsi della consolazione del ciuccio. Questo introduce anche l'idea di un sostituto alle cure materne; Josh ha veramente bisogno di lei per tutto il tempo, oppure per una parte della giornata può andar bene anche qualcun altro, magari la tata? La mamma è evidentemente combattuta e non va fino in fondo, infatti alla fine cede e gli offre il seno. Prende il sopravvento il dispiacere all'idea di lasciarlo e di interrompere l'allattamento, a cui si aggiunge la riluttanza ad abbandonare il controllo. A questo punto può subentrare anche una componente di orgoglio perché il bambino vuole solo lei e nient'altro: "mamma è meglio". L'ultimo tentativo di indurre Josh ad accettare una diversa forma di consolazione ha finalmente successo.

Dar sempre al neonato quello che chiede equivale ad ammettere che ha fatto la scelta migliore. In questo caso sarebbe come dire: "Hai proprio ragione, niente è buono come il seno, non devo più cercare di rifilarti il succo". È impossibile presentare in modo positivo una cosa se non si è convinti che sia buona. Il succo rappresenta un gusto nuovo, e il bambino può essere riluttante ad accettarlo. Se anche voi pensate che vada bene solo l'allattamento al seno, non introducete il vostro bambino agli altri piaceri della vita, a sapori e odori diversi, ad altre sensazioni tattili. Gli dite che solo ciò che è familiare è buono. Una pioniera dell'analisi infantile come Melanie Klein sottolineò che lo svezzamento è anche svezzamento *a* e non solo *da*. L'espressione "svezzamento da" suggerisce che ci sia tutto da perdere: il calore, il conforto, il piacere, l'intimità, la sensazione di una cosa esclusiva, che nessun altro può dare. È in gioco qualcosa di molto importante sia per la madre sia per il bambino. L'espressione "svezzare a", invece, apre un mondo di cose a disposizione, tutte da esplorare.

C'è anche il problema della rivalità: il mio bambino mangerà anche il cibo di altri oltre al mio, preferirà la maestra o la tata? Il senso di perdita può essere molto forte, ma c'è anche una straordinaria apertura. La madre vede il suo bambino crescere e diventare un essere autonomo, che può provare la gioia di un nuovo rapporto fra due persone distinte. Quanto a lei, può godere di una maggiore libertà, perché il bambino ha meno bisogno specificamente di lei, e può riconquistare parte del proprio corpo e del proprio spazio mentale.

Perché è difficile dire no?

Il nostro modo di reagire alle proteste di un bambino è spesso influenzato dai sentimenti che proviamo quando non possiamo avere quello che vogliamo, o quando dobbiamo affrontare la protesta, l'ira, la delusione o l'insistenza di un'altra persona.

Il pianto

Dopo la nascita di un bambino, capita che soprattutto le madri, ma anche i padri, provino dei sentimenti molto primitivi e rozzi. Si devono reinventare, devono assumere un nuovo ruolo. Magari ricorderanno i sentimenti che provavano verso i propri genitori. Finora si sono chiesti che genere di genitori saranno e hanno cercato di immaginare il carattere del bambino. La maggior parte dei genitori sopporta a fatica l'insoddisfazione e il pianto del figlio. A volte si sentono addirittura criticati. Il pianto li fa soffrire e vogliono intervenire per placarlo, ma spesso non sanno come fare e aspettano che sia il bambino a comunicare loro in qualche modo la soluzione. A questo punto abbiamo nella stanza due o tre persone scontente e insicure, invece che una sola, cioè il bambino. È in momenti come questi che i genitori devono prendere le distanze dal figlio, per poter distinguere i propri sentimenti e le proprie sensazioni dai suoi. Devono pensare per conto proprio, e non cercare la guida del bambino. La loro interpretazione del suo pianto darà una forma al suo disagio, aiutandolo così nella ricerca di una via d'uscita.

Il pianto è probabilmente la modalità di comunicazione più efficace del neonato. La ricerca ha dimostrato che già al terzo giorno di vita i genitori sono in grado di distinguere il pianto del figlio da quello di altri. Verso la fine della seconda settimana riescono a distinguere i diversi tipi di pianto del loro piccolo. I genitori sono orgogliosi di capire cosa significa un certo modo di piangere piuttosto che un altro. Per poter capire l'emozione e quindi poterle dare una risposta, un genitore ha bisogno di assorbirla, di sentirla. Spesso il pianto entra proprio dentro; ed è così che deve essere, è così che si riesce a capire cosa significa. Solo allora lo si può tradurre in qualcosa di più accettabile per il bambino, anche se non sempre è facile farlo. Certi pianti provocano in noi delle reazioni fisiologiche, identiche a quelle che abbiamo quando dobbiamo affrontare un'emergenza (aumento di adrenalina, aumento della pressione sanguigna, maggiore apporto di ossigeno al cervello).

Il nostro vissuto influenza le nostre reazioni, quindi vale la pena di considerare le emozioni e i pensieri che ci possono passare per la testa quando un figlio piange.

• Il pianto sembra esprimere un rimprovero? Potete percepirlo come un giudizio su di voi e offendervi come se il bimbo vi dicesse che non siete brave. Magari vi richiama alla mente il modo in cui vi tratta a volte vostro marito. Vostro figlio è "tutto suo padre". Sarete tentate di rinunciare a farlo contento e chiudervi in voi stesse o arrabbiarvi.

• Forse il pianto vi ricorda la vostra sorellina cocciuta ed esigente, che non faceva che strillare per farsi valere. In questo caso reagirete diversamente, probabilmente con rudezza; i confini fra il bambino e il ricordo di vostra sorella si confondono. Potreste chiedervi a chi è riferita in realtà la vostra reazione.

• Il bambino sembra furioso. Vi sentite in colpa e vi chiedete dove avete sbagliato. Diventate incerte ed esitanti, e lui si sente ancora più insicuro.

• Il bambino sembra molto sofferente, avete una reazione di panico perché temete che sia gravemente malato. Siete agitate e non riuscite a riflettere sul da farsi. Correte avanti con la mente e immaginate già che il bambino possa morire. Dal canto suo il bambino, quando sta male, può avere la sensazione di venir meno. Ha bisogno che voi riusciate a tollerare l'ansia quel tanto che basta per riflettere e controllare qual è il vero problema. Se vi lasciate travolgere dal suo malessere, rischiate di peggiorare le cose.

• Il pianto vi dà l'impressione che il bambino sia sconvolto, fuori di sé? Vi riempie di disperazione? Forse vi tornano alla mente, se non proprio i ricordi, certe sensazioni della vostra infanzia, il senso di impotenza, l'insicurezza, la paura che le cose non potessero migliorare. In una situazione simile il senso di isolamento può travolgervi, e allora il pianto non è più tanto quello del bambino, quanto il vostro.

Nella situazione seguente vediamo un esempio di come i sentimenti di una madre si fondono con il pianto del suo bambino. Nel corso di un colloquio la madre aveva parlato di un parto molto lungo e doloroso, che aveva causato a lei e al bambino dei problemi fisici.

Jane (due settimane) è irrequieta; l'agitazione si trasforma in pianto, con un lungo strascico di sospiri e lamenti. La madre la prende in braccio e la fa rimbalzare leggermente su e giù, continuando a parlarle. I movimenti si trasformano in oscillazioni vigorose. Jane piagnucola e si contorce. Ho una sensazione di disagio e di disarmonia e mi sento in ansia. Troppo, troppo, penso, e vorrei cullare dolcemente la bambina. Mi chiedo chi viene consolato e cullato: la bambina o la madre?

Sembra che la madre trovi molto difficile tollerare il pianto. Cullando la bambina, si direbbe che stia cercando di scacciare il disagio di entrambe; il movimento fisico è un tentativo di scrollarsi di dosso le sensazioni del parto.

Il modo in cui affrontiamo i sentimenti suscitati in noi dal pianto di nostro figlio influenzerà il suo modo di gestire le emozioni. Se ci lasciamo andare al panico rafforzeremo le sue paure. Se lo ignoriamo potrebbe disperarsi, perché da solo non può farcela, e alla fine potrebbe rinunciare a protestare e chiudersi in se stesso. Dobbiamo procedere per tentativi ed errori, cercando di dare un senso al pianto del bambino e di offrirgli quello che possiamo come consolazione. A volte ha bisogno di qualcosa che siamo in grado di dargli e basta scorrere tutta la gamma delle possibilità per scoprire cosa gli serve: la pappa, un coccolo, un pannolino asciutto, una copertina e via dicendo. Altre volte deve trovare da solo una soluzione. Dopo aver verificato tutte le possibilità, dobbiamo dire no ai nostri tentativi di farlo stare meglio e resistere al suo pianto. Il famoso pediatra americano Berry Brazelton scrive:

> In una fase in cui il sistema nervoso del bambino è ancora grezzo, gli interventi troppo ansiosi dei genitori possono sovraccaricare la sua capacità di accogliere e utilizzare gli stimoli. Questo può provocare delle coliche... Gli interventi costanti possono anche interferire con le sue modalità di autoconforto e autoconsolazione... Quando ha bisogno che lo si lasci piangere per un po' e sfogarsi, i genitori, con ogni probabilità, moltiplicheranno invece i tentativi di calmarlo.

Come abbiamo visto, il bambino ha bisogno di un po' di spazio per sé, ha bisogno di tempo per raggiungere da solo ciò che gli serve. Per i genitori può essere difficilissimo accettarlo e trattenersi dall'interferire, perché devono venire a patti con il proprio disagio, oltre che con quello del figlio.

Un groviglio di sentimenti

Capire a chi appartengono i sentimenti e cosa riguardano è piuttosto complesso, tanto è vero che spesso proprio di questo si occupano le sedute di psicoterapia. L'esempio che segue proviene dal mio lavoro di psicoterapeuta infantile nel reparto pediatrico di un ospedale. Il pediatra mi inviò la piccola Zuleika, una bambina di quattordici mesi, con la madre, perché la piccola era molto sottopeso, ma non si riusciva a individuarne una causa medica. Era debole, molto pallida, e non accennava a migliorare.

La signora C. era in ansia perché la piccola non cresceva ed era esausta perché la allattava spesso al seno, soprattutto di notte. Durante il colloquio fu subito chiaro che la signora C. e Zuleika avevano una forte intimità fisica. La donna sedeva con la bambina in grembo, accarezzandola e notando il più piccolo lamento... La signora C. raccontò che la famiglia era lontana, all'estero. Aveva l'impressione che dopo l'arrivo della bambina il suo matrimonio fosse cambiato; il marito si lamentava che lei era meno disponibile. Lavorava molte ore al giorno, non era mai stato di grande aiuto in casa, anzi la divisione dei ruoli fra loro era piuttosto tradizionale. Gli mancavano l'intimità e la sessualità di prima e lei sentiva di non riuscire a provare comprensione per il suo bisogno di riposo e di appoggio. Mentre parlava si mise a piangere; Zuleika le si appoggiò al petto e la mamma la abbracciò stretta. Glielo feci notare e parlammo di sua madre, di cui sentiva la mancanza e del suo bisogno di "nutrirsi" di cose buone per essere più forte per Zuleika.

Fin dalle prime sedute si rese conto di riversare nel rapporto con Zuleika il suo stesso bisogno di essere consolata, accudita e nutrita. Insieme notammo che, quando la madre parlava della sua sensazione di isolamento, Zuleika reagiva rannicchiandosi contro di lei o accarezzandola. Osservammo che stringere a sé la bambina, abbracciarla, la faceva sentire meglio, meno sola. Anche l'intimità dell'allattamento le dava un senso di contatto con le cose.

La donna cominciò così a distinguere i suoi bisogni da quelli di Zuleika e presto la bambina cominciò a fare progressi. La mia interpretazione dell'esperienza di Zuleika è che, benché la madre continuasse a darle cibo, emotivamente lei non lo viveva come un nutrimento, ma come un continuo attingere alle sue ri-

43

sorse. Durante le poppate Zuleika dava alla madre conforto e sollievo, ma ne usciva svuotata, e quindi pallida e floscia.

Distinguere di chi sono i bisogni che vengono soddisfatti può essere molto utile, e spesso richiede un lavoro piuttosto breve. Vidi Zuleika e la madre solo due volte, e seppi dal pediatra che continuavano a fare progressi. Sono fermamente convinta dell'utilità di un intervento precoce di sostegno ai genitori in questa fase di grande vulnerabilità, ma anche di eccezionale flessibilità, in cui tantissimi aspetti della loro vita stanno cambiando. Un intervento tempestivo permette di modificare le abitudini prima che divengano consolidate.

Abbiamo visto che, soprattutto nei primi giorni, le madri riprendono contatto con le sensazioni della propria infanzia, che spesso sono sensazioni di bisogno. In genere desiderano avere accanto la madre, riceverne le cure e la benedizione per il loro nuovo ruolo. In molte culture esistono rituali che garantiscono alle stesse neo-mamme delle cure materne, e le sgravano in parte dell'onere di occuparsi di tutta la famiglia.

I fantasmi intorno alla culla

Tutti noi ci portiamo nella mente e nel cuore le persone, genitori, fratelli, amici, insegnanti e altri, con cui abbiamo un dialogo interiore. A volte il loro apporto è positivo, a volte no. Queste figure vengono alla ribalta e ne siamo consapevoli soprattutto nelle situazioni di tensione. Per esempio, quando vostro figlio è irrequieto, per calmarlo vi ritroverete magari ad accarezzargli dolcemente le sopracciglia, ricordando come era piacevole quando lo faceva vostra madre. È possibile che ricordiate il gesto e lo ripetiate consciamente, ma può anche darsi che lo facciate automaticamente, senza sapere bene perché.

A volte l'influenza del passato è molto più inconscia, e non altrettanto utile. Una grande psicoanalista infantile americana, Selma Fraiberg, scrive:

> In ogni stanza di bambino ci sono fantasmi. Sono i visitatori non invitati del passato dei genitori, di cui loro stessi non hanno memoria, gli ospiti non invitati al battesimo. In circostanze favorevoli, questi spiriti ostili e indesiderati vengono scacciati dalla cameretta e tornano nelle loro dimore sotterranee. Il bambino impone come un imperativo ai genitori le sue richieste di amore e, in stretta analogia con le fiabe, i legami d'amore proteggono il bambino e i suoi genitori dagli intrusi, gli spiriti maligni.

Il signor H. aveva una certa difficoltà ad adattarsi al suo nuovo ruolo di padre. Gli mancavano i momenti trascorsi da solo con la moglie ed era geloso dell'intimità della sua compagna con il nuovo arrivato. Si sentiva molto in colpa per questo, ma non poteva farci niente. Gli dava fastidio che venisse richiesto il suo aiuto per accudire il bambino e questo creava attriti con la moglie, che si traducevano in un ulteriore sentimento di irritazione nei confronti del figlio. Stava montando una spirale di sentimenti negativi.

Quando vennero da me per un colloquio, il signor H. espresse con molta chiarezza la gelosia nei confronti del figlio. Si lagnò con la moglie: "Fai tutto per lui e quasi non ti accorgi che esisto!" La moglie si difendeva e cercava di giustificare il proprio comportamento, spiegando che in questa fase il bambino aveva più bisogno di lei. Mi colpì il fatto che si rivolgesse al marito come se fosse un fratello rivale piuttosto che il padre di loro figlio. Anche il tono dell'uomo era piuttosto infantile. Quando discutemmo della cosa, si ricordò di essere stato gelosissimo del fratellino e di aver creato parecchi problemi alla madre. Una volta chiarito questo aspetto, furono entrambi più attenti a cogliere i segnali, in modo da evitare di ricadere negli schemi del passato. Lui cercò di capire quando perdeva di vista il figlio e al suo posto vedeva il fratellino. La moglie si sforzò di resistere alla tentazione di trattare il marito come un bambino. Non avvenne nessun miracolo, ma cominciarono a districare il passato dal presente.

La signora J. trovava la figlia Mary, di quattro mesi, molto esigente e difficile. Capitava spesso che Mary piangesse per ore e non si riuscisse a calmarla. La madre si sentiva inadeguata e impotente. Quando ne parlammo si mise a piangere, spiegò che cercava di fare del suo meglio, ma sembrava che alla bambina non andasse mai bene niente. Commentai che pareva che la cosa la disturbasse molto. Annuì e disse che si era sempre sentita così, in tutta la sua vita. Ce la metteva proprio tutta, ma sua madre non la apprezzava mai e si aspettava sempre di più.

Capimmo che il pianto di Mary ricordava alla signora J. la sua esperienza infantile, e allora nella sua mente Mary diventava come la madre esigente. Questo la induceva ad affaccendarsi troppo intorno alla piccola per cercare di ottenerne risposte positive. Desiderava ardentemente poter leggere riflesso negli occhi della sua bambina che era una buona madre. Ma questo comportava troppe richieste, una pressione esagerata sulla bambina, che ne era sommersa e si metteva a piangere. Con il passare del tempo la signora J. imparò a interpretare il pianto di Mary come l'espressione di un bisogno, e non di una critica, e riuscì quindi ad affrontarlo meglio.

In alcuni casi i "fantasmi nella cameretta" riguardano una morte reale. Una madre che ebbi in cura aveva molta difficoltà a separarsi anche per breve tempo dal figlio neonato, Alì. Non riusciva ad accettare che qualcun altro si occupasse di lui. Faceva fatica anche a stabilire dei limiti. Nella nostra prima seduta pianse ricordando di aver perso il primo figlio di sole tre settimane. Avrebbe voluto dare a questo lo stesso nome del primo e in un certo senso lo vedeva come un sostituto. Il desiderio di trovare un sostituto è molto comune, anche dopo un aborto. Quando guardava Alì, a volte non vedeva lui, ma il piccolo Ahmed, che era morto. Il suo desiderio di proteggere Ahmed e di non lasciarlo morire si era trasferito su Alì, che le pareva fragile, benché in realtà fosse sano e robusto. Risalendo alle radici di questa reazione, del resto molto comprensibile, riuscimmo a vedere Alì per quello che era e a interrogarci sulle *sue* esigenze specifiche. La signora B. si rese conto inoltre che, vedendo Ahmed al posto di Alì, non aiutava Alì. Il suo comportamento aveva l'effetto opposto di quello voluto. Alì, invece di crescere sicuro, vedendosi riflesso negli occhi della madre come un bambino robusto, si vedeva fragile e indifeso. Quello che la madre faceva per proteggere Alì lo rendeva in realtà più vulnerabile. Il nostro lavoro consistette fra l'altro nell'osservare attentamente Alì insieme, cercando di capire com'era, come reagiva. Il fatto di attribuire ad Alì uno status di individuo separato, con una propria realtà, contribuì a distogliere l'attenzione da Ahmed. Il bambino vivo divenne più reale e la madre riuscì gradualmente ad accettare la morte di Ahmed. Ormai Alì sarebbe stato per sempre Alì, e non più Ahmed. Dovendo abbandonare il sogno di sostituire Ahmed, la signora B. riuscì anche ad elaborarne il lutto. Essendo più libera di vedere Alì per quello che era, riuscì a essere più ferma con lui, a dire no quando era necessario, senza temere di sconvolgerlo o di ferirlo. Finalmente la natura forte e robusta del bambino poté manifestarsi pienamente.

Un'altra madre che ebbi in terapia dopo la morte di un precedente bambino presentava un quadro diverso. Avevo seguito la signora C. quando la figlia Angie era nel reparto di terapia intensiva. I nostri incontri proseguirono dopo la morte di Angie fino alla gravidanza successiva, al parto e durante i primi mesi di vita della seconda figlia, Cassie. Angie, benché gravemente malata, era vissuta fino a sette mesi. La madre le era attaccatissima e trascorreva tutte le giornate con lei in ospedale. Quando rimase nuovamente incinta, temette di non riuscire ad amare così tanto il secondo bambino. Nelle prime settimane dopo la nascita di Cassie era piuttosto disturbata dalle richieste della piccola ed era incapace di soddisfarle. Le risultava più facile dire no che darle quello che voleva. La chiamava "la bambina" e raramente usava il suo nome. La descriveva come un salamotto grasso, senza una grande personalità, capace solo di dormire e di mangiare, forse un po' avida. Ricordava che invece Angie era piccola, ma combattiva e piena di determinazione. Aveva ammirato la sua capacità di lottare. Parlandone, provava rabbia al pensiero che questa bambina, che era nata sana, dovesse avere quello che l'altra non aveva avuto. Inoltre si sentiva sleale nei confronti della prima figlia se dava qualcosa a questa ed era spaventatissima all'idea di lasciarsi coinvolgere e di affezionarsi alla nuova bambina, per paura di rivivere la stessa tragedia. Era tormentata dai sensi di colpa per le sue reazioni verso Cassie. Riuscendo a esprimere questi sentimenti, che per lei erano totalmente inaccettabili, poté rifletterci sopra con qualcun altro, invece di rimanere paralizzata dall'angoscia. In seguito riuscimmo a separare Angie da Cassie, a notare che potevano non avere le stesse qualità, e che infatti Cassie era molto diversa da Angie. Parlammo anche di come poteva creare un posto per Cassie nella sua vita, senza cancellare Angie dal suo cuore. Tutte le cure e l'amore che aveva dato ad Angie facevano ancora parte di lei, e non necessariamente dovevano morire con la bambina. Con il mio aiuto, si sforzò di elaborare il lutto per Angie, in modo da poter poi accogliere Cassie.

La ricerca ha ormai dimostrato che, dopo la perdita di un figlio, il dolore e il lutto vengono spesso rimandati, per risvegliarsi con la nascita di un altro bambino. Fare la pace con i fantasmi delle esperienze dolorose del passato è un compito arduo, che richiede molto coraggio. Ammiro con tutto il cuore la signora C. per il coraggio, l'onestà e la forza che seppe dimostrare.

Non solo madre-e-figlio

I padri e gli altri

Nel suo primo anno di vita, è probabile che il bambino sia più vicino e attaccato alla mamma. Ma anche il padre svolge un ruolo importantissimo. Rappresenta un altro modo di stare con il figlio, un altro rapporto intimo. Abbiamo visto che una madre può diventare tutt'uno con il figlio e a volte si sente confusa e sopraffatta quanto lui dalle emozioni. In questi momenti il padre ha un compito essenziale, che è quello di aiutare la compagna a rimanere se stessa, senza lasciarsi travolgere dalle sensazioni infantili. La può proteggere inserendosi fra lei e il bambino da cui non riesce a staccarsi, dandole il tempo di riprendersi, di riposare e di ritrovare un po' di spazio per sé.

Nei primi giorni il padre è di supporto alla madre, in modo che lei possa a sua volta provvedere al bambino. Allontana il piccolo dalla mamma quando lei fa fatica a dire no, può insistere perché il bambino dorma nel suo lettino, può offrire un'opinione diversa, per esempio, durante lo svezzamento. Questo è il ruolo di custode del padre. Naturalmente in alcune famiglie è il padre ad avere difficoltà a definire dei limiti. L'importante comunque è che la madre, soprattutto quando il rapporto con il figlio la coinvolge troppo, abbia la possibilità di accedere a un punto di vista diverso, a una prospettiva nuova.

I risultati delle ricerche descritte dal pediatra T. Berry Brazelton dimostrano che i padri hanno con i figli piccoli un'interazione molto diversa da quella delle madri. In genere eccitano di più i bambini, hanno un rapporto più fisico e giocoso, e i bambini con loro preferiscono le attività di gioco. È una forma di attrazione positiva per il bambino, un esempio diverso di relazione con gli altri.

Man mano che comincia a riconoscere i genitori, il bambino ha un rapporto con ciascuno dei due, quasi formasse una coppia con l'uno e poi con l'altro. Nel rapporto triangolare fra neonato, madre e padre ci saranno momenti in cui il bambino si relaziona a entrambi, ma noterà anche che i genitori hanno un rapporto fra loro, che lo esclude. È l'inizio del suo allontanamento dalla coppia che forma con la madre, per spingersi fuori, nel vasto mondo. Un neonato è naturalmente egocentrico, ma pian piano impara che esistono rapporti che non ruotano intorno a lui; in seguito capirà che ne esistono alcuni che non lo coinvolgono nemmeno. Ci saranno momenti in cui un padre o una madre dicono al bambino che li chiama: "Aspetta un momento, sto parlando con la mamma (o con il papà)". È una lezione importante, che gli insegna che ciò che fa un altro può essere indipendente da lui. Qui l'attesa non è dovuta a quello che ha fatto il bimbo, ma a qualcosa che altri stanno facendo.

Parlo del padre come terza persona della famiglia perché è probabile che abbia un ruolo molto significativo. Naturalmente c'è anche il rapporto con i fratelli, che però, di solito, sono controllati almeno in parte da un genitore. Molti bambini vengono cresciuti da una madre *single*: sono convinta che anche in questo contesto ci sia un grande bisogno di una terza persona, un adulto, in modo che la coppia madre-figlio non formi un legame troppo stretto, che rischi di ostacolare lo sviluppo. La terza persona può essere il compagno, la madre, un amico o un'amica. Oppure possono esservi più persone che svolgono funzioni diverse.

L'accudimento

Una delle pietre miliari di questa fase è il trasferimento ad altri o la condivisione dell'accudimento del bambino. Tutti gli argomenti trattati in questo capitolo hanno attinenza con questo momento. È un cambiamento che comporterà la separazione, la sostituzione della madre con un'altra persona, provocherà una reazione alle proteste del bambino e rappresenterà l'inizio di nuovi stili e di nuovi limiti. La scelta di qualcuno che si prenda cura del vostro bambino può essere angosciante. Scegliere una persona simile a voi, che faccia tutto proprio come voi? Ma non sarebbe meglio fargli sperimentare qualche differenza? Scegliere una ragazza giovane che potete istruire? Rischiate di preoccuparvi che non sia abbastanza responsabile. Scegliere allora una persona anziana, una specie di nonna, di cui potervi fidare? Potrebbe essere difficile dirle cosa deve fare. Non sono scelte emotivamente indifferenti. Proverete dei sentimenti contrastanti verso la persona che si prende cura di vostro figlio. Tanto vale prepararsi subito. Potrà essere un misto di gratitudine, gelosia, sollievo, competitività, collaborazione. Per il benessere del bambino è importante che formiate una buona alleanza con chi lo accudisce.

A volte, quando torna a casa dal lavoro, una madre ha la sensazione di aver perso il figlio. Lo vede solo alla fine della giornata e per lei è un piccolo estraneo, perché non ha assistito alle sue attività e non è stata testimone dei suoi umori. Se è intrattabile, penserà magari che sia cambiato o che chi lo accudisce non sia all'altezza del compito. In queste situazioni è importante accertarsi che vi sia una buona comunicazione. Brazelton condusse uno studio su alcuni bambini di quattro mesi che trascorrevano fino a otto ore al giorno all'asilo nido. La scuola era stata scelta per l'elevata qualità del servizio che offriva. I bambini avevano un ciclo sonno-veglia regolare e non erano mai coinvolti in modo molto intenso con il personale. Alla fine della giornata, quando i genitori andavano a prendere il figlio, questi sembrava avere un crollo, era lamentoso e capriccioso. I genitori venivano informati che durante la giornata si era comportato in modo del tutto diverso. Brazelton osserva che il bambino tiene in serbo la passione e i sentimenti più intensi per le persone che per lui contano davvero. È un segnale positivo, se il bambino si lamenta dopo una separazione significa che è attaccato a voi. L'importante è che entrambi, mamma e bambino, siano capaci di reagire.

49

È inutile balzare a conclusioni premature, per esempio sulla competenza di chi lo accudisce, oppure sul fatto che non vi voglia più bene e così via. Un bambino che, quando vi rivede, si mette a piangere, può suscitare in voi dei sensi di colpa, che interferiscono con la capacità di ragionare chiaramente. Magari penserete: "Oh, non si è trovato per niente bene, non avrei mai dovuto lasciarlo, non mi perdonerà". Vi considerate cattive, il bambino se ne accorge e comincia a sentirsi incerto del rapporto con voi. Se avete fatto tutto quello che era in vostro potere perché in vostra assenza fosse ben accudito, ha più senso prenderlo in braccio e rassicurarlo: "Non preoccuparti, adesso la mamma è tornata. Anche tu mi sei mancato. La giornata è stata lunga, vero? Ma adesso siamo insieme".

Capita di essere tentate di attribuire alla baby sitter la colpa dell'irritabilità del piccolo e del suo strano comportamento. Varrà forse la pena di smettere di distribuire colpe e di chiedersi invece cosa significa il comportamento di vostro figlio e come potete aiutarlo. Se non vi fidate della persona che se ne prende cura, generate insicurezza nel bambino e il tempo trascorso lontano da voi gli sembrerà più difficile da sopportare.

Dovete essere sicure delle vostre scelte e non chiedere al bambino di rassicurarvi. Naturalmente cercherete di calmarlo, ma dovete anche accettare la sfuriata e lasciarlo lamentare. Se non riesce a esprimere il suo malessere e se voi non lo aiutate a elaborarlo, troverà dei modi rigidi e difensivi di affrontarlo, che finiranno per limitare il suo sviluppo.

Anche noi dobbiamo acquisire una maggiore flessibilità. A volte saremo tentate di prendere le distanze da nostro figlio, per non sentire troppo la sua mancanza. Dobbiamo imparare a tollerare la separazione, ma anche l'essere insieme – il venire e l'andare.

Dobbiamo adattarci all'idea che possono esistere molti modi di accudire nostro figlio. Il nostro modello può non essere l'unico. Dobbiamo dire no al desiderio di controllare tutto ciò che gli accade mentre siamo lontane. Naturalmente è importante, sia per voi sia per il bambino, chiarire con la persona che lo accudisce quali sono le vostre regole, i vostri confini. Fatto questo, dovete affidare all'altro la sua cura, con la convinzione che sia all'altezza del compito. Come abbiamo visto, per poter stabilire un rapporto con i neonati lo scambio deve essere onesto, deve venire da dentro. I neonati, non disponendo del linguaggio, colgono la comunicazione emotiva, lo sguardo degli occhi, il tono della voce. Il modo in cui la baby sitter si comporta con il bambino, la sua sensibilità o meno ai suoi segnali e la sua capacità di udire e gestire la sua protesta, saranno una migliore garanzia della sua capacità di instaurare un buon rapporto con lui, che non il fatto che le sue regole siano esattamente uguali alle vostre. Si occuperà di lui in modo più spontaneo se potrà conservare il proprio stile e non sarà costretta ad adottare il vostro.

A volte i genitori non hanno molte possibilità di scegliere chi si prenderà cura del figlio; ma se continua a essere scontento, smette di mangiare e di dormire, si chiude in se stesso e la cosa si protrae per un certo periodo di tempo, saprete che non si tratta di una normale reazione alla separazione. Sarà forse il caso di riconsiderare la situazione e di cercare una soluzione alternativa.

Facendo un'ipotesi più ottimistica, vostro figlio potrebbe adattarsi benissimo, crescere e svilupparsi. Vi sentirete sollevate e soddisfatte, ma forse dovrete dominare il desiderio di essere tutto per lui, di essere l'unica persona che conta. È più facile a dirsi che a farsi. Può esservi d'aiuto ricordare che vostro figlio ha sviluppato delle capacità sociali e ha imparato a stare senza di voi grazie alle cure che gli avete dedicato e continuate a dedicargli.

Sommario

Un neonato è un essere sofisticato, intimamente legato a voi fin dall'inizio. Per poter crescere ha bisogno che siate sintonizzate sulle sue comunicazioni. Ciò che conta di più è l'interazione e la comprensione reciproca fra voi due. A un neonato può succedere facilmente di sentirsi sopraffatto dalle sensazioni, di natura sia fisica sia emotiva. Ha bisogno di qualcuno che si preoccupi del suo stato d'animo. Ha bisogno che capiate cosa gli sta succedendo e che, con la vostra reazione, contribuiate a diluirne l'intensità, aiutandolo a ritornare in uno stato per lui accettabile e gestibile. È grazie alla vostra interpretazione del suo comportamento che comincia a farsi un'immagine di se stesso. Ed è dal vostro modo di fare che impara come si gestiscono le emozioni forti. Se siete attente e sensibili ai suoi segnali il vostro bambino si sente sorretto e capito. Sarà più capace di comprendere il mondo che lo circonda e di prendervi parte. Ma non occorre che siate perfette nell'interpretare e nel soddisfare i suoi bisogni: un certo grado di disarmonia, se poi viene risolta, contribuisce allo sviluppo. Una volta impostate queste basi, il bambino riuscirà ad accettare che gli vengano posti dei limiti.

Dire no, nelle sue varie forme, significa essenzialmente stabilire una distanza fra un desiderio e la sua soddisfazione. Certi aspetti dell'educazione dei bambini, come per esempio la separazione, lo svezzamento, il problema di come affrontare il pianto, portano in primo piano la questione dei limiti. Moltissimi di noi non trovano facile dire o sentirsi dire no. Siamo condizionati da molti fattori, che possono essere in relazione con la nostra storia, con la nostra situazione attuale e con l'immagine che abbiamo di noi stessi. La riluttanza a definire dei limiti può ostacolare lo sviluppo delle capacità del bambino. Ho cercato di dimostrare che a volte dire no è molto utile, in quanto apre un intervallo, uno spazio in cui possono verificarsi altri eventi. Da questo punto di vista non è tanto una restrizione, quanto un'occasione per il dispiegarsi della creatività.

2.

Da due a cinque anni

Quando, bambino mio, ti porto balocchi mul-
ticolori, comprendo perché c'è un così grande gioco di colori, nelle nubi, nell'acqua, e
perché i fiori sono così ricchi di colori – quando ti regalo, bambino mio, balocchi multi-
colori.
Quando, bambino mio, intono il mio canto
per farti danzare, allora comprendo veramente perché c'è musica nelle foglie, e perché le onde mandano un coro di voci al cuore della terra che volentieri ascolta – quando
intono il mio canto per farti danzare.
Quando, bambino mio, pongo dolci nelle tue
avide mani, apprendo perché c'è il miele nel
calice del fiore e perché i frutti si colmano
segretamente di soavi succhi – quando pongo dolci nelle tue avide mani.

RABINADRATH TAGORE, *Quando e perché*

Il magico reame

Un bambino piccolo convinto che sotto il suo letto ci sia un
leone o che la tazza del gabinetto lo voglia ingoiare non è matto.
È normalissimo per la sua età. Nel suo mondo non c'è una chiara distinzione fra fantasia e realtà. Pensa che i draghi e le streghe esistano per davvero, che i pensieri possiedano dei poteri ma-
gici e si possano far accadere le cose solo pensandole. I bambini
piccoli sono degli esseri appassionati, vedono e percepiscono solo gli estremi, il mondo per loro è nero o bianco, senza sfumatu-
re che ne attenuino i contrasti.
In tutte le culture esistono fiabe e racconti popolari che ri-
specchiano questa visione del mondo, in cui i buoni e i cattivi sono dipinti con tinte esagerate e sono tipicamente unidimensio-
nali. L'eroe è buono, il cattivo è cattivo e basta. Nelle famiglie c'è
una figlia bella e una brutta. La madre è perfetta, la matrigna per-
fida. Un fratello è intelligente ma malvagio, l'altro è stupido ma
gentile e così via. I bambini adorano sentirsi raccontare e rirac-
contare all'infinito le stesse storie, pregustano i momenti paurosi o eccitanti, partecipano, hanno paura, poi si sentono rassicurati, si identificano con l'eroe e applaudono trionfanti il lieto fi-

ne. Sono piaceri di cui siamo tutti partecipi, a qualsiasi età, perché queste storie parlano dei desideri, delle ansie e delle speranze più profonde degli esseri umani. La ricerca del vero amore che abbatte tutti gli ostacoli, come nella *Bella e la Bestia*, la vittoria della gentilezza sulla tirannia, narrata nella fiaba di *Cenerentola*, ci incoraggiano a lottare per raggiungere degli obiettivi positivi e ci rassicurano sul fatto che, tenendo fede ai lati migliori della nostra natura, verremo premiati.

Bruno Bettelheim ha scritto un libro affascinante intitolato *Il mondo incantato*, che analizza l'importanza delle fiabe. Bettelheim è convinto che le fiabe aiutino i bambini a elaborare le loro ansie e le loro paure. Chi non ha visto un bambino (o ricorda se stesso) affascinato dalle parti più paurose di una fiaba al punto da non poter quasi fare a meno di ritornarci sopra un'infinità di volte? La morale della fiaba è sempre rassicurante e chiara, anche se mio padre amava raccontarmi questa storiella: la bambina dice alla mamma che la fiaba di *Biancaneve* le fa molta paura; la madre le chiede quale sia la parte più impressionante e la bambina risponde: "Alla fine, quando arriva quello straniero che la porta via dalla casetta dei nani". Ascoltiamo una storia come desideriamo che sia. Non la ascoltiamo con in mente la realtà, ma con l'immaginazione, e ciò che ci colpisce in essa sono i momenti in cui entra in contatto con i nostri desideri e le nostre paure. Non troviamo allarmante che il principe si innamori all'istante di una ragazza che non aveva mai visto prima o che Biancaneve, al suo risveglio, abbandoni tutto ciò che le è familiare per andarsene con uno sconosciuto. Non è questo il modello che pensiamo di trasmettere ai nostri figli raccontando loro la fiaba. La storia che stiamo raccontando è che anche nelle circostanze più terribili l'amore di una persona ci può salvare, proteggendoci dalle aggressioni e dall'ostilità degli altri.

Così i bambini crescono convinti che i genitori siano come i maghi e le fate che possono rendere belle tutte le cose. Ma, per quanto siano circondati da amore, continuano ad avere paura. I mostri, gli orchi e le streghe si aggirano ancora nei paraggi. Molte famiglie cercano di coltivare la gentilezza, non comprano giocattoli violenti, e poi rimangono esterefatte vedendo le grandi battaglie inscenate dai figli o il terrore che suscita in loro il coniglietto di peluche.

Uno degli aspetti del mondo magico in cui vivono i bambini è la convinzione che non ci sia niente di impossibile. Prendono tutto alla lettera, le parole per loro sono molto concrete. Ogni volta che passava davanti a una certa stanza della casa, il piccolo Harry appariva molto preoccupato e inquieto. Finalmente confessò alla madre che era terrorizzato dalla terribile giraffa che sarebbe uscita da quella porta. La donna rimase molto sconcertata, finché si ricordò di essersi lamentata della corrente (*draft*, che si pronuncia più o meno come *giraffe*)! Ecco perché è importante rivolgersi ai bambini piccoli con parole chiare e semplici. Minacce del tipo "Non fare quella faccia sciocca. Se cambia il vento ti rimarrà appiccicata", alle loro orecchie suonano del tutto reali. Uno dei motivi per cui credono alle cose fantastiche è che il loro mondo interiore, il mondo dei loro pensieri e dei loro sentimenti, può essere molto appassionato. Se sentono qualcuno dire "Ero talmente arrabbiato con lui che l'avrei ucciso", per loro è un'affermazione credibilissima, perché capita loro abbastanza spesso di provare sentimenti omicidi nei confronti di chi li ostacola.

È facile capire come mai a questa età il mondo fantastico e quello reale possano essere così intrecciati. La paura dei genitori arrabbiati, la naturalezza con cui il bambino ne fa dei mostri, possono trasformare un piccolo conflitto in un avvenimento di grande portata.

Jack reagisce al "no" del padre come se il padre fosse un orco che lo vuole uccidere, proprio come nella fiaba di Pollicino. Il signor B. è un uomo gentile, che ha difficoltà a dire "no" a Jack. Quando lo fa, Jack reagisce con tanto impeto da dargli l'impressione che il bimbo lo consideri malvagio. Cerca di ragionare con Jack, con l'unico risultato che il bambino si infiamma ancora di più e si comporta come se il padre volesse picchiarlo, cosa che il signor B. non ha mai fatto. Il signor B. è profondamente in collera con Jack per l'immagine di sé che vede riflessa nei suoi occhi, quella di un padre cattivo e brutale. All'inizio si trattava solo di fissare un limite, ma la situazione è sfociata in un grosso scontro, che ha profondamente turbato entrambi.

Jack non reagisce tanto a ciò che è effettivamente suo padre, quanto alla propria interpretazione di cosa significa un "no". Il suo è un mondo di fate e di streghe, di maghi e di orchi. Quando papà dice "no", Jack lo trasforma in un essere potente che è contro di lui. Lo stesso Jack probabilmente vorrebbe essere un gigante per poter affrontare suo padre. Ma, con questo comportamento, Jack nella sua mente trasforma il padre in qualcosa che in realtà non è. È comprensibile che la cosa irriti il padre il quale, paradossalmente, può diventare molto più cattivo. Penserà: "Come si permette Jack di trattarmi come se fossi cattivo e lo volessi picchiare?" A questo punto è probabile che, invece di rassicurare Jack, il padre si lasci trasportare dall'ira e diventi come il gigante, e con voce tonante dica al figlio di sparire. Così la fantasia di Jack trova un'eco nella realtà, e le due cose si confondono.

55

La fissazione di limiti

È questa la grande sfida che devono affrontare i genitori: coltivare nei figli la passione e il coinvolgimento nel mondo e al tempo stesso insegnar loro ad adattarsi alle regole della società. La capacità di dire no diventa particolarmente importante dopo i due anni. Il bambino ormai si sa muovere da solo e può andare incontro a molti pericoli; fa la sua comparsa la disciplina. Nella vita quotidiana di una famiglia in cui c'è un bambino di questa età, il "no" è probabilmente la parola più usata!

Non è piacevole sentirsi dire no, e vi sono vari modi di reagire. Un bambino può usare la stessa parola quasi fosse un'arma, gridando con forza "no" ogni volta che gli viene chiesto di fare qualcosa. Un altro la può utilizzare per identificarsi con gli adulti. Quando mia figlia Sushila aveva due anni, non le piaceva sentirsi dire no. Ma in complesso era molto beneducata e non protestava. Però, quando era in compagnia del cugino quattordicenne, qualunque cosa questi dicesse gli rispondeva in tono adulto, di condiscendenza: "No, Teshi, no", come se il cugino fosse davvero un ragazzo poco ragionevole. Immagino che il suo modo di digerire i molti "no" che le venivano indirizzati fosse quello di assumere il ruolo di adulto così come lei lo percepiva, e far sentire il cugino come si sentiva lei: piccolo e sciocco.

I bambini di questa età sono in genere impulsivi, attivi, esigenti e curiosi. Tutti attributi che, a seconda del punto di vista, possono essere considerati qualità o difetti. Un bambino che tira fuori tutte le pentole, le allinea sul pavimento di cucina e le percuote con mestoli e cucchiai può essere visto come un batterista in erba con un fantastico senso del ritmo, uno scienziato che esplora le caratteristiche degli oggetti che si scontrano, una piccola peste rumorosa, un bambino disordinato che non sa come vanno usate le cose e così via. Il nostro punto di vista può variare in funzione di diversi fattori. Come abbiamo visto nel capitolo 1, tantissimi elementi contribuiscono a fare di noi ciò che siamo e a plasmare la nostra visione del mondo. E poi ci sono le circostanze in cui avviene un fatto. La nostra reazione alla fine di una giornata molto faticosa sarà diversa da quella che avremmo al mattino, dopo un buon sonno. Un altro fattore importantissimo è il nostro atteggiamento rispetto alla vita che viviamo, e come vi si inserisce il bambino. Una madre che può contare su varie forme di aiuto sarà più disponibile a cogliere lo humour di una situazione che non una sovraccarica di lavoro fino ai limiti delle sue capacità. Quali che siano i motivi per cui ci comportiamo in un certo modo, la nostra reazione al bambino è una comunicazione.

Una madre è al supermercato con il figlio di due anni. Johnny sorride alle persone intorno a lui e chiacchiera piacevolmente con la madre. A un certo punto diventa irrequieto e la madre gli dà una caramella per farlo stare buono. Ma poi, mentre lei continua a fare la spesa, il bambino vuole ancora caramelle e lei si irrita e gli dice che gli fanno male. Lui si mette a piagnucolare e ne chiede ancora, lei diventa brusca e gli dice che per quel giorno ha avuto abbastanza dolci. Lui si mette a piangere, tutti li guardano, lei è irritata con chi ha assistito alla scena e con il figlio perché l'hanno messa in imbarazzo. Cede. Lui adesso vuole altre cose, si agita nel carrello e strilla che vuole andare a casa. La madre gli offre ancora caramelle, ma adesso il bimbo piange disperato, non vuole più le caramelle e le butta per terra. La madre è furiosa e grida.

Anche qui, come nel caso dei neonati, c'è un momento di disarmonia. All'inizio Johnny è contento di fare la spesa, ma ben presto perde la pazienza. La richiesta delle caramelle diventa una sorta di braccio di ferro; le caramelle non sono più una consolazione, hanno perso il loro scopo originale di farlo stare meglio. Diventano uno strumento di corruzione, oppure un trofeo che il bambino è riuscito a estorcere. La situazione viene ulteriormente esasperata dalla disapprovazione di altre persone. La madre ha difficoltà ad attenersi ai limiti che ha fissato e ne è risentita.

In tutte queste interazioni esiste più di una versione dei fatti. Può sembrare ovvio, ma spesso, quando si cerca di aiutare una famiglia, si ascolta una sola versione, che di solito è quella della madre. Innanzitutto è importante ascoltare. Questo vale non solo per chi è impegnato professionalmente nella consulenza alle famiglie, ma soprattutto nel momento in cui accade il fatto, per chi vi è coinvolto. Se un bambino piagnucola, strilla, ha un comportamento fastidioso, vuole comunicare qualcosa, in questo caso probabilmente che la spesa sta durando troppo. Quando se ne rende conto, la madre di Johnny ha varie possibilità: può continuare comunque la spesa; può smettere; cercare di distrarre e divertire il bambino; innervosirsi perché deve cambiare i suoi programmi; organizzarsi la prossima volta tenendo conto dei limiti di sopportazione del figlio...

Se indaghiamo più a fondo, spesso scopriamo che la donna ha altri motivi per reagire in un certo modo. È stressata, magari sa che Johnny detesta fare la spesa ma non ha scelta ed è costretta a portarlo con sé; si sente poco aiutata; forse si considera crudele perché continua a imporgli qualcosa che lui palesemente detesta; oppure pensa che sia viziato e che dovrebbe avere più pazienza; magari si sente colpevole perché gli dà delle caramelle anche se sa che gli fanno male... Questo le rende più difficile attenersi ai limiti che ha stabilito. È incapace di dire a Johnny che la spesa va fatta e che lui dovrà farsene una ragione; è anche incapace di trovare un modo di coinvolgerlo, magari facendosi aiutare a prendere le cose dagli scaffali. Sembra quasi che il pianto del bambino paralizzi la mente della madre, che entra in conflitto con se stessa e con lui.

Per poter agire con fermezza dovete essere convinte che quello che fate è giusto; altrimenti trasmettete la vostra incertezza e il bambino riceve un messaggio confuso. Potrebbe pensare che se insiste e fa i capricci finirete per cedere. Capita spesso di vedere madre e figlio impegnati in un estenuante tira e molla, prigionieri di un rapporto che li rende scontenti entrambi.

Il problema della coerenza

In generale, i genitori hanno maggiori capacità di comprensione dei figli, che guardano soprattutto a loro per dare un senso al mondo che li circonda. Nel capitolo 1 abbiamo visto che è così fin dalla prima infanzia, quando i neonati hanno bisogno che i genitori diano forma e significato alle loro sensazioni. Via via che il bambino cresce, i genitori gli forniscono un'immagine non solo di chi è lui e di chi sono loro, ma anche del mondo. Il bambino sano farà riferimento ai genitori, quando incontra persone nuove, per sapere se può tranquillamente interagire con loro; utilizzerà il genitore anche come base per esplorare e per ricevere delle conferme.

I genitori presentano Johnny agli amici, gli dicono di sorridere alla zia Gabriella, di andare a prendere un giocattolo, di guardare questo bellissimo libro... Viene lodato quando raggiunge qualche risultato di cui i genitori sono fieri, sgridato quando fa qualcosa che li preoccupa. Attraverso le parole e il gioco Johnny dà un senso al mondo e capisce cosa può e non può fare in esso. Se le risposte al suo comportamento sono coerenti acquisisce una visione più solida e chiara, un'idea precisa di cosa è consentito oppure proibito, di cosa è sicuro o invece pericoloso, di cosa è pauroso e di cosa non lo è. Nessun genitore, o meglio nessun adulto, è perfettamente coerente, ma emerge comunque un'immagine generale a cui il bambino può fare riferimento.

Non ci sono dubbi sul fatto che la coerenza sia desiderabile, soprattutto quando si tratta di fissare dei limiti; vediamo dunque cosa può interferire con essa.

La ragione più semplice per cui due genitori possono essere incoerenti è che hanno punti di vista diversi:

Laura ha tre anni ed è una bambina simpatica e affascinante. Passa la giornata con la madre, che nel complesso ama stare con lei. È attiva, socievole e apprezza la compagnia degli altri bambini. Di sera, per dormire, vuole che il papà o la mamma rimangano sdraiati accanto a lei finché non si addormenta. Ma la sera la signora M. vuole recuperare un suo spazio e la irrita dover stare con Laura, con cui ha trascorso tutta la giornata. Dice a Laura con fermezza che si deve addormentare da sola. Al marito invece la cosa non dà particolarmente fastidio, anzi rappresenta un momento di relax dopo una giornata di lavoro. Non è impegnativo, non deve giocare con Laura o intrattenerla. La cosa va bene a entrambi, così resta con lei. Ma sorgono dei contrasti fra i due coniugi. Viene sottratto loro del tempo da trascorrere insieme come coppia, discutono se Laura abbia proprio bisogno di questo rituale per dormire. La signora M. è infastidita perché il marito stabilisce un precedente a cui, quando lui è via di casa, lei sarà costretta ad attenersi. I diversi modi di affrontare il problema creano difficoltà fra loro. Quando cercano di sviscerare insieme perché ciascuno dei due sia convinto della giustezza del proprio punto di vista, si scontrano con la reciproca incomprensione e finiscono per essere irritati l'uno con l'altro. A questo punto, se Laura piange e chiama papà, è molto più probabile che lui voglia andare da lei piuttosto che continuare a litigare con la moglie.

La situazione creatasi fra marito e moglie e il modo in cui gestiscono le loro divergenze non è priva di conseguenze. Non possono essere coerenti con Laura, perché non riescono a mettersi d'accordo. Così alla bambina arriva un'immagine confusa di cosa significa andare a dormire. All'inizio, sono la regolarità e la coerenza a dare a un bambino l'idea di com'è l'ora della nanna. Crescendo, imparerà probabilmente che l'ora del sonno è diversa a seconda di chi c'è a casa. In questo esempio c'è una situazione di tensione, non c'è tranquillità nel momento di andare a dormire, e questo aggrava ulteriormente la riluttanza della bambina ad addormentarsi da sola.

Mohamed ha due anni; trascorre la settimana a casa dei nonni; i genitori lavorano e passano a prenderlo ogni sera. In complesso l'organizzazione funziona bene, ma c'è disaccordo su alcuni particolari. La madre sta cercando di togliergli il ciuccio, che si è abituato a succhiare ogni volta che ne ha voglia. Sia lei sia il marito pensano che non dovrebbe averlo sempre a disposizione e vogliono limitarne l'uso ai momenti del sonno. Hanno paura che gli deformi i denti, sono preoccupati per questioni di igiene, perché continua a lasciarlo cadere e a raccoglierlo e temono anche che diventi un'abitudine. I nonni invece non ci vedono niente di male, pensano che il bambino senta la mancanza della mamma e abbia bisogno della consolazione del ciuccio. Inoltre il bambino è più contento e li lascia tranquilli. Non riescono a mettersi d'accordo, e a Mohamed viene quindi fissato un limite diverso a seconda che stia con i nonni o con i genitori.

Entrambe le parti hanno argomenti legittimi, basati sull'interesse per il bene del bambino. È probabile che Mohamed ormai non abbia bisogno così spesso del ciuccio, e forse i suoi genitori desiderano che trovi nuovi modi di affrontare le situazioni difficili. Pensano alla parte di Mohamed che sta crescendo. Il punto di vista dei nonni rammenta ai genitori la parte più bisognosa e infantile di Mohamed. Ma questo rende più acuto il senso di colpa che provano per doverlo lasciare, perché ricorda loro che il bambino sente la loro mancanza. Possono esserci volte in cui Mohamed sta benissimo senza ciuccio, e altre invece in cui ne ha bisogno. La forte divergenza di opinioni fra coloro che si prendono cura del piccolo impedisce loro di osservare le sue reazioni e di agire in base al suo bisogno, invece di seguire le proprie idee su ciò di cui dovrebbe avere bisogno. Il bambino si trova sotto il tiro incrociato della loro determinazione ad attenersi alle proprie convinzioni e alla visione che hanno di lui. Quando chiede il ciuccio, gli vengono rimandate delle immagini contrastanti, e anche questo lo confonde. Chi è lui? Un bambino che sta crescendo e che non ha più bisogno del ciuccio? Un bambino piccolo che ha bisogno del ciuccio per sopravvivere e per consolarsi, perché è infelice? Ciò che manca qui è uno spazio per pensare, per permettergli di essere un po' entrambe le cose. Il bambino non viene aiutato nel suo sforzo di separarsi dai genitori e dal ciuccio seguendo i suoi tempi e il suo ritmo.

Simili messaggi ambigui possono avere vari effetti. Un bambino più grande e più sicuro impara con il tempo che mamma e papà possono essere molto diversi dal nonno e dalla nonna e accetta che nelle due case esistano regole diverse. Però, se è un po' insicuro o se fra il neonato bisognoso e i suoi aspetti più maturi esiste un vero e proprio conflitto, rischia di avere le idee ancora più confuse, perché non sa mai se la sua richiesta verrà accolta o no. Nella sua mente, è come se gli rispondessero sempre "forse". Può diventare una specie di supplizio di Tantalo, che rende il bambino irritabile e ansioso, perché anche quando ha conquistato il ciuccio si aspetta sempre che gli venga tolto e di conseguenza lo chiede e vi si aggrappa più di quanto farebbe se le regole degli adulti fossero chiare. La situazione di Mohamed è una via di mezzo: piange chiedendo il ciuccio e si arrabbia con i genitori quando glielo rifiutano, ma si sta lentamente abituando a farne a meno.

Conflitti di questo tipo si verificano in genere fra due genitori, oppure fra i genitori e chi si occupa dei loro figli – parenti, tate o baby-sitter. Tuttavia non esistono solo le divergenze occasionali o di fondo con altre persone: capita anche di essere in conflitto con se stessi. Per tornare all'esempio del supermercato, possiamo sentirci combattuti rispetto alla scelta se concedere o meno le caramelle; a volte penseremo che non c'è niente di male a concederne una ogni tanto, altre volte penseremo che nuocciono alla salute. Problemi analoghi possono sorgere con l'abitudine di giocherellare con il cibo, la maleducazione, gli orari del sonno. Immaginiamo una situazione simile a quella di Laura.

Anche Tom, un bambino di tre anni, voleva che qualcuno stesse con lui mentre si addormentava. La madre pensava che fosse una cattiva abitudine e si sforzò di essere coerente e ferma a questo riguardo. A volte però ricordava come le sembrava grande e freddo il suo letto quando era piccola, e come si sentiva sola di notte. Allora era combattuta sul da farsi: doveva essere ferma, altrimenti il figlio non avrebbe mai imparato a dormire da solo; però, che male poteva fare una piccola concessione? Stava diventando viziato; ma insomma, è proprio necessario che i bambini crescano così in fretta? Allora si era sentita sola, ma adesso stava bene, no? Perché doveva risparmiargli le sofferenze che aveva sopportato lei? A seconda della situazione, vinceva ora l'una ora l'altra voce.

Tom non sapeva mai se con le sue proteste avrebbe ottenuto che la madre restasse. Così chiedeva sempre, faceva i capricci, e se lei non restava era inevitabilmente deluso. L'incoerenza crea tensione, perché non si sa se le proprie speranze verranno frustrate o soddisfatte. Anche la vittoria sarà meno dolce, perché si profila all'orizzonte la prospettiva del prossimo momento uguale a questo. I bambini preferiscono gli esiti prevedibili, anche se non sono quelli desiderati, alle montagne russe dell'alternarsi di speranza e delusione.

In uno scenario del genere, la prima cosa utile da fare è capire cosa scatena in noi la protesta del bambino: nel caso di Tom, risveglia nella madre il ricordo del disagio che provava a stare sola. Se si rende conto che si tratta di una difficoltà sua e non del bambino, probabilmente non vorrà che il figlio cresca con il suo stesso problema. Riuscirà a vedere con più chiarezza le esigenze di Tom e saprà trovare i mezzi per gestire con più coerenza le sue richieste. Potrebbe per esempio proporgli un patto, concordare di passare ogni sera mezz'ora con lui, accanto al suo letto, leggendogli una storia: poi però si deve addormentare da solo. Risulterebbe così soddisfatto il desiderio di intimità e conforto di entrambi, e intanto Tom si abituerebbe all'idea di un tempo limitato, dopo il quale deve trovare per conto proprio il modo di addormentarsi. La madre gli potrà offrire un pupazzo, una copertina o una stoffa che appartiene a lei, suggerendogli di tenerseli stretti una volta che lei se ne sarà andata e aiutandolo così a effettuare la transizione da lei ad altri oggetti consolatori. Le sarà più facile essere coerente se è sicura di offrire a Tom gli strumenti per superare questo momento.

La reazione più o meno coerente alle richieste che ci vengono poste, la posizione che assumiamo e il modo in cui affrontiamo i conflitti sono fortemente influenzati dal nostro carattere e dalla nostra storia.

La signora F. era cresciuta in una famiglia rigida, con un padre piuttosto tirannico che la criticava sempre per il suo modo di fare e per la sua maleducazione e la riprendeva in continuazione. Ritrovava in se stessa questa caratteristica, perché era ipersensibile ai difetti della figlia di quattro anni e spesso riproduceva con la bambina la propria esperienza infantile, comportandosi come aveva fatto il padre con lei. Ne era consapevole e si sentiva in colpa. Quando entrava in conflitto con la figlia si risvegliava in lei il ricordo dei litigi di un tempo e dei sentimenti che provava per il padre. Era come se rivivesse un momento di disaccordo con lui invece che con la figlia. I suoi sentimenti infantili prendevano il sopravvento su quelli adulti e questo spesso trapelava nel comportamento, che diventava anch'esso infantile. Aveva difficoltà, allora, a rendersi conto dell'effettiva reazione della figlia, perché invece ricordava la propria. Ingaggiavano delle vere e proprie battaglie di volontà, come se fossero due bambine piccole, e non una persona adulta e una bambina. Il rapporto fra madre e figlia si guastò, perché i vecchi sentimenti erano più attivi dell'attenzione al presente.

Il signor R. aveva sofferto durante l'infanzia di una forte deprivazione sia materiale sia emotiva. Adesso è benestante e ha una vita soddisfacente. Se dice "no" ai suoi figli e li vede scontenti, si risveglia in lui il ricordo insostenibile del bisogno e delle privazioni vissuti da piccolo, e di conseguenza li copre di regali, che loro danno per scontati e non apprezzano veramente. Invece di ottenere l'effetto desiderato di renderli felici e soddisfatti come lui non è stato, li vede insoddisfatti e pieni di pretese. La cosa lo manda su tutte le furie, perché pensa che abbiano enormemente di più di quello che ha avuto lui e gli sembrano avidi e viziati.

Ancora una volta si è stabilita una situazione circolare, poco vantaggiosa, simile a quella che si viene a creare quando una persona, avendo sofferto la fame, nutre troppo il figlio; si possono capire le ragioni della sua reazione, ma questo non è rilevante per l'esperienza attuale del bambino.

È evidente da tutti questi esempi che il passato continua a influenzare il presente. Come abbiamo visto nel capitolo 1, è come se figure ed esperienze della nostra storia si frapponessero fra noi e nostro figlio. A volte sono figure reali, di cui ci ricordiamo: i genitori, i fratelli, altri membri della famiglia, gli insegnanti. Possono rappresentare anche noi stessi a diverse età: vi potrà capitare per esempio di ricordare voi stesse all'età che ha adesso vostro figlio. Questo significa che non state reagendo al presente e al vostro bimbo reale, ma state rivivendo qualcosa che vi appartiene. Abbiamo dialoghi interiori, discussioni, con queste figure del nostro mondo interiore. Se siamo infelici possiamo ricorrere a una voce amica che ci rassicura e ci dice che andrà tutto bene. Quando facciamo un errore ci sentiamo magari riprese da un aspetto rigido del nostro carattere. Questo mondo interiore contribuisce a rendere più ricca e variegata la nostra personalità. Provoca anche, però, il disagio dell'ambivalenza, della confusione, e ci porta spesso ad agire contro la nostra stessa volontà.

Le punizioni

Le punizioni sono importanti quando si cerca di far valere il proprio no, ma non credo che esista una ricetta valida in tutte le situazioni, e quindi non ho dato loro grande rilievo nel libro. Se siete convinte della vostra decisione, se riuscite a essere in sintonia con vostro figlio, in genere un bambino al di sotto dei cinque anni rispetterà le vostre parole. A volte, naturalmente, potrete aver bisogno di rinforzarle un po'. Le strategie praticabili sono molte: ridurre la tv, mandare il bambino nella sua stanza, confiscargli uno dei giochi preferiti, trattenerlo fisicamente se esagera con i capricci, rifiutarsi di portarlo al parco se si comporta male, e via dicendo. Voi siete nella posizione migliore per sapere cosa funzionerà meglio nella vostra famiglia. Non è la punizione di per se stessa che conta, ma quello che comunicate attraverso il vostro comportamento. Non occorre una mazza per schiacciare una noce. La mano pesante è controproducente, come lo è perdere le staffe, umiliare il bambino e cercare di imporre la propria volontà con la forza. Penso che non sia mai utile perdere le staffe; un comportamento incontrollato genera paura sia nell'adulto sia nel bambino. Ma se qualche volta, come succede a tutti i genitori, dite o fate qualcosa che poi rimpiangete, non è la fine del mondo. Il bambino imparerà che siete un essere umano, e non un robot o un angelo, e vedrà magari in una luce più favorevole anche se stesso e i suoi sentimenti appassionati e impetuosi. Se esagerate proprio, può essere molto positivo chiedere scusa. Il modello che trasmettete in questo modo al bambino è quello di una persona che riconsidera quello che ha fatto, si rende conto che forse era sbagliato, lo ammette e chiede scusa. Si aprono così anche per lui queste possibilità.

L'importante è non venir meno alla vostra funzione di adulto: capire il bambino e il suo stato d'animo, e al tempo stesso saper pensare cosa è meglio per entrambi. Dovete mantenere il rispetto per voi stesse e fargli capire che il vostro "no" ha una ragione. Non è sempre necessario spiegargliela; è sufficiente che sappiate quello che state facendo. Sono convinta che, in alcune occasioni, per bloccare una *escalation* di emozioni e di conflitti, uno sculaccione possa essere preferibile a una lunga ramanzina. Molti genitori di questa generazione rischiano di oberare il bambino di lezioni e di spiegazioni a difesa delle proprie scelte.

Il punto essenziale è che una punizione deve aiutare il bambino a imparare. La crudeltà insegna solo a essere cattivi. La vostra punizione deve mirare ad aiutarlo a riflettere di più. Con ogni probabilità troverete cosa funziona meglio nel vostro caso solo provando e sbagliando. Se avete rispetto per voi stesse e per vostro figlio, il solo fatto di cercare di migliorare le cose è utile. I bambini apprezzano profondamente le persone che si danno da fare per loro. Sanno che a volte cedere è più facile che continuare a cercare una soluzione migliore.

Mai dire no

Una delle caratteristiche che più colpiscono nei bambini di questa età è il gusto per le attività nuove. Spesso proclamano a gran voce che vogliono fare "da soli", con grande orgoglio, ma anche esasperazione dei genitori. Avremo così Alessandra che insiste ad abbottonarsi da sola il golfino, Jagdish che vuole allacciarsi le scarpe, Kai che si arrampica sulle sedie per raggiungere un giocattolo e Panayota che spinge la carrozzina, chiaramente troppo pesante per lei. È un periodo, questo, in cui i genitori dovranno a volte frenare il bisogno istintivo di fare le cose al posto dei figli. I bambini hanno bisogno di pratica per padroneggiare le loro capacità fisiche che si stanno sviluppando, per acquisire il controllo della motilità fine e migliorare la manualità. Spesso sono molto determinati e risoluti nella scelta di fare da soli. In questa fase è importantissimo non frenare il loro entusiasmo e non frustrare le loro aspirazioni. Quando Bob aiuta la mamma a portare la spesa, il tipico commento materno può essere: "Che bravo ometto, grazie, non ce l'avrei fatta a portarla senza di te". Questo lo fa sentire apprezzato, forte come papà, gli fa sentire che la mamma ha bisogno di lui.

Però è importante anche che i bambini abbiano una visione realistica di quello che possono e non possono fare. Se Bob, per esempio, cerca di trasportare una borsa troppo pesante per lui senza riuscirci, verrà ancora apprezzato per quello che sa fare, ma toccherà anche un suo limite. Questo gli risparmierà inoltre la responsabilità di *dover* essere il piccolo aiutante della mamma. In una famiglia con madre *single*, in particolare nel caso di un figlio maschio, favorire una sensazione di potere poco realistica è negativo; tra l'altro il bambino rischia di sentirsi investito di una responsabilità esagerata.

Il carattere del bambino e il modo in cui voi lo aiutate a gestire le frustrazioni derivanti dall'incapacità di fare certe cose determineranno il modo in cui affronta gli insuccessi e lotta per riuscire. Innanzitutto, naturalmente, deve provare, per scoprire dove sono i suoi limiti e dove può avere bisogno di aiuto. Il bambino convinto di poter fare tutto da solo sarà incapace di accettare di farsi aiutare, sia nell'apprendimento sia nelle attività di tipo fisico. Negare qualsiasi dipendenza porta a diventare autoritari, se non addirittura prepotenti. I prepotenti, solitamente, hanno paura di trovare qualcuno più forte di loro e di poter ricevere quello che loro stessi sono abituati a dispensare. In un mondo di magia, è un'eventualità ancora più spaventosa.

La storia drammatica di Paul, con cui ho lavorato in un centro per giovani famiglie operante soprattutto con famiglie deprivate, gestito dal Dipartimento per i servizi sociali, illustra cosa può succedere quando si evita la dipendenza e si rifiutano i limiti. Penso che da circostanze così estreme si possano trarre delle lezioni valide in generale.

Paul era un bambino non voluto, il minore di tre maschi. L'atmosfera in casa era esplosiva, carica di *pathos*, violenta e caotica. Tutti i bambini erano in cura con una certa regolarità. A due anni Paul sembrava un caso disperato. Dava l'impressione di venire da un altro pianeta, aveva uno sguardo selvatico, non guardava mai dritto negli occhi. Era iperattivo e agile, saltava da notevoli altezze in modo pericoloso. Aveva esplosioni di violenza improvvise. Mancava totalmente di concentrazione, parlava pochissimo; era molto difficile stare con lui.

Lavorando con Paul risultava evidente che l'attenzione, la gentilezza e l'interessamento con lui non bastavano. Riusciva a esasperare anche i membri più pazienti dello staff. Sembrava pensasse di poter fare qualsiasi cosa, e apparentemente non gli importava niente che le persone si arrabbiassero o lo punissero. Ero responsabile della sua assistenza al centro, e inoltre lo vedevo individualmente tre volte alla settimana. Ecco un estratto tipico di una delle nostre prime sedute dopo un'interruzione per una sua malattia. Paul ha quattro anni.

Scagliò il telefono nel cestino della spazzatura gridando: "Vai a farti fottere!" Corse verso il poster e lo staccò dalla parete. Dissi che era molto arrabbiato con la stanza e con me perché aveva perso tante sedute. Prima che potessi raggiungerlo, fece a brandelli il poster. Scagliò giù dallo scaffale una lampada, che non si ruppe. Gli dissi che poteva farsi male e gli spiegai come era pericoloso giocare con il vetro. Corse fino a me, mi diede un calcio e gridò: "Stai zitta!"

Paul dava l'impressione che le opinioni e i sentimenti degli altri non lo toccassero. Si comportava come se fosse onnipotente. Il modo in cui saltava, strillava e mi aggrediva fisicamente mi rendevano molto difficile agire come avrebbe fatto un madre attenta – un'esperienza, questa, che non aveva mai avuto. A volte dovevo trattenerlo fisicamente per impedirgli di far male a se stesso o a me, altre volte parlare dei suoi sentimenti lo aiutava a controllarsi. Era una continua sfida, per me, cercare di dare una forma ai suoi sentimenti e alle sue azioni individuandone il significato. Tutto il comportamento di Paul sembrava teso a negare qualsiasi bisogno, di chiunque e di qualunque cosa. Una delle sue frasi preferite era "Lo fa me". Nella visione del mondo di Paul, una madre non poteva essere una persona che sostiene, nutre e aiuta a crescere. Il padre era una figura brutale, idealizzata, che odiava i bambini e con la quale Paul si identificava. Questa visione si estendeva a tutti gli adulti. Non aveva mai potuto permettersi di sentirsi un bambino piccolo, perché non si sentiva al sicuro. Per lui era un grosso rischio essere vulnerabile, perché poteva essere picchiato o schernito. Molto meglio allora immaginare di essere un forte e rude superuomo.

Ci volle molto tempo prima che Paul si potesse permettere di sentirsi vulnerabile in misura ragionevole per la sua età e riuscisse a concepire che qualcuno fosse interessato a prendersi cura di lui. Usava la durezza e l'insensibilità come corazza protettiva, per non sentirsi accessibile agli attacchi. Ma questa difesa, come un guscio, impediva l'ingresso anche alle cose buone. Sotto era come un neonato molto fragile, spaventato e indifeso. Sembrava che avesse solo due alternative: essere un bullo prepotente o un bambino piccolo e profondamente vulnerabile. Il fatto che gli venisse permesso di agire senza freni e che gli adulti non riuscissero a bloccare la sua irruenza rinsaldava la sua convinzione di essere invincibile. Così i suoi aspetti più infantili erano al sicuro, non potevano venire in superficie e quindi nessuno poteva aiutarli a svilupparsi.

Nel caso di Paul, era importante che un adulto gli dicesse con chiarezza che non era invincibile. Senza smontare il suo senso di sé, bisognava ricordargli che era piccolo. Aveva bisogno di sentire che qualcuno desiderava prendersi cura di lui. Aveva bisogno anche che un adulto lo rassicurasse che sarebbe diventato un ragazzo forte, infondendogli speranza e facendolo sentire meno fragile. Via via che, con il proseguire degli incontri, i confini divenivano più chiari, Paul cominciò a sentirsi più sicuro, a esplorare cosa significava essere un bambino piccolo di cui ci si preoccupa, ci si ricorda, ci si prende cura. Sembrava che fosse la prima volta in vita sua che si poteva concedere di essere vulnerabile. Ci fu una seduta molto commovente in cui prese una bambola e, indicando gli occhi, il naso, la bocca e altre parti diceva "Guarda", e "Cos'è questo?" Infine depose la bambola e disse fiduciosamente: "Bambino". Capii che mi stava facendo domande su se stesso, mi chiedeva informazioni sui tratti del viso e sulle parti del corpo, voleva sapere cos'era un bambino, chi era Paul. Proprio come un bambino piccolo, che impara con la mamma a riconoscere le parti del proprio corpo (questo è il mio naso, questo è il tuo naso). Finalmente Paul era riuscito a chiedersi chi era ed era giunto alla conclusione di essere un bambino, e che andava bene così.

Vediamo ora un esempio più comune di comportamento che può dare origine a sentimenti di onnipotenza: è il caso di Charlie, un bambino di tre anni:

Charlie è un bambino molto difficile, che strilla se non ottiene quello che vuole. I genitori sono stremati perché sentono di non riuscire più a controllare il suo comportamento. Mi dicono che "pretende" che la mamma cucini tutti i giorni la pasta. "Bisogna" leggergli una storia prima della nanna. "Rifiuta" di essere messo a letto da chiunque che non sia la mamma. La lista delle sue pretese è infinita e i genitori si adeguano a tutte.

La cosa che colpisce è che i genitori di Charlie pensano di non avere nessun potere sul suo comportamento, di essere senza risorse. Considerano i suoi desideri dei bisogni, e si adeguano. Charlie è un piccolo despota in casa, e questo gli crea intorno una situazione di malessere. Non è abituato a gestire la frustrazione, e quando si trova di fronte a una difficoltà fa sempre più fatica a superarla. Ha una personalità autoritaria, che non lascia spazio per l'espressione e la crescita del suo lato più infantile. Siccome i suoi genitori non dicono mai di no, non sa cosa vuol dire andare su tutte le furie, avere la sensazione di non farcela più, per poi invece riprendersi. Il suo sviluppo è bloccato. Come Paul, inoltre, ha paura del castigo e teme che, se gli adulti non si dimostrano all'altezza, verrà lasciato senza alcuna protezione contro qualcuno più forte di lui.

All'altro estremo c'è il bambino troppo bravo. Anche il bambino che non sopporta di essere piccolo e reagisce con un'identificazione eccessiva con gli adulti, imitandoli, si sottrae ai disagi che sono indispensabili per diventare grandi.

Anjeli ha cinque anni; è la tipica "brava bambina", obbediente, educata e tranquilla. È piuttosto brava a scuola e riesce bene nelle attività extrascolastiche, per esempio il balletto. Non ha scatti di rabbia ed è rarissimo che si comporti male. Ma c'è in lei una certa piattezza. Quando è a scuola, segue molto bene le istruzioni, ma è raro che prenda l'iniziativa di un gioco. È come se avesse indossato una maschera da adulto e fosse dominata dal desiderio di compiacere chi le sta intorno. I compagni la considerano una santerellina e non è molto popolare.

Paul aveva adottato il personaggio di Superman; Anjeli invece sceglie un'identità pseudoadulta. È difficile riconoscere la bambina in lei. Si risparmia i rimproveri dei genitori e degli altri adulti, ma perde parte del divertimento dell'infanzia. Evita l'esperienza di sentirsi dire "no" precedendola e controllandosi piuttosto rigidamente.

Le ragioni del comportamento di Anjeli possono essere molte. Può essere appena nato un fratellino, e Anjeli si sente pressata a crescere in fretta per non dare troppi fastidi alla mamma. Oppure può percepire l'esistenza di un conflitto fra i genitori e cerca di ricreare un'atmosfera serena. Magari le piace essere considerata dai genitori una brava bambina e non si azzarda a creare confusione. Può darsi anche che si senta più a suo agio standosene tranquilla, senza entrare in contatto con le emozioni forti. Possono esserci migliaia di ragioni per cui adottiamo certi meccanismi e certe strategie. Ogni caso deve essere osservato e studiato individualmente. Ma un sano sviluppo non può prescindere totalmente dal disagio causato dai sentimenti sgradevoli.

La nota psicoterapeuta infantile Martha Harris scrive:

Il bambino non può imparare a controllare l'aggressività e le emozioni negative se non ha avuto la possibilità di provarle, di conoscerle in prima persona. Solo così può valutarne la forza e trovare in sé le risorse per imbrigliarle e, se possibile, utilizzarle per scopi vantaggiosi.

La riluttanza a dire no e a comportarsi con fermezza possono dare origine a grossi problemi, che vorrei illustrare con un esempio piuttosto estremo di relazione fra madre e figlio.

Darren, un bambino di tre anni, era stato inviato nel reparto di pediatria dell'ospedale perché soffriva di stitichezza cronica. Prendeva dosi massicce di lassativi, che ormai non facevano più effetto. Dovette essere ricoverato e subì un intervento in anestesia generale per la rimozione delle feci; purtroppo era probabile che dovesse sottoporsi ad altri interventi del genere. Vista la situazione disperata, la famiglia venne inviata da me. Quando incontrai il bambino con la madre, mi colpì il suo atteggiamento dominante e, per contro, quello timido ed esitante di lei. Parlando con loro, capii ben presto che Darren era il padrone assoluto della vita della madre. Non voleva stare con nessun altro, nemmeno con il padre o con i fratelli maggiori. Quando non otteneva ciò che voleva si metteva a strillare e lei cedeva sempre alle sue richieste. Nel corso delle sedute faceva capire molto chiaramente che non sopportava di condividere con me l'attenzione della madre e copriva le nostre voci con gli strilli, in modo che non potessimo avere una conversazione. Si stancava subito di stare lì e si metteva a urlare con tutto il fiato che aveva, chiedendo e supplicando di andare via. L'impatto era così forte che tre persone diverse del mio corridoio bussarono per vedere se tutto andava bene. Sembrava davvero che lo stessimo torturando.

Il mio compito principale con la madre era di sedere con lei per tutta la durata di quest'ardua prova e riflettere su ciò che stava effettivamente accadendo. Cominciammo ad analizzare quello che succedeva nella stanza e a confrontarlo con ciò che lei sentiva e con i sentimenti espressi da Darren. Lo stavamo davvero torturando? Era proprio così intollerabile stare seduto nella stanza cercando di riflettere sul suo problema? Era veramente crudele da parte della donna voler parlare con qualcun altro oltre a lui? Non c'erano alternative? Con il tempo, avendo io insistito perché portassimo a termine la seduta e non la concludessimo in anticipo, il bambino riuscì a calmarsi, a guardare i giocattoli e a giocare un po', e perfino a esprimere cosa provava riguardo a tutta la situazione. Poi si mise a giocare con la plastilina e riuscimmo a parlare del problema dell'intestino bloccato, ma notammo anche che lo usava per bloccare tutti gli altri, e considerammo che doveva essere spaventoso per lui quando nessuno, nemmeno la mamma, poteva aiutarlo.

Questo era l'aspetto più tradizionale dei nostri incontri: l'interpretazione del gioco, che è un ingrediente essenziale della psicoterapia infantile. Ma penso che, nel caso di questo bambino, l'aspetto più utile del mio intervento fu il fatto che rimanessi con la madre ad aspettare la fine della sfuriata e la aiutassi a rispettare il tempo che dovevamo trascorrere insieme, dimostrando così a entrambi che si poteva fare, che sarebbero sopravvissuti, e che serviva. La donna cominciò a trattarlo con più fermezza, perché si rese conto che in questo modo non era crudele con lui, ma lo aiutava. Un fatto rassicurante fu che, dopo sette incontri in un periodo di sei mesi, la stitichezza migliorò; il bambino fu libero dal suo blocco, dall'immobilità forzata di tutto ciò che lo riguardava e fortunatamente non ebbe più bisogno di interventi medici invasivi.

Per i bambini come Darren, che dominano totalmente la madre o la famiglia, la vita non è molto divertente. Magari non restano soli, riescono sempre a spuntarla, ma la qualità dei loro contatti, delle loro relazioni, è priva di spontaneità. C'è poco piacere reciproco e molta irritazione. Tutti i membri della famiglia si sentono intrappolati in una situazione circolare e spiacevole, che può generare disperazione e rabbia. Un bambino che vince con la prepotenza non trova mai niente soddisfacente, perché non è dato spontaneamente. Non ci sono doni, solo estorsione. Magari si sentirà potente, ma non apprezzato né amato. Questo vale anche in circostanze molto meno drammatiche di quelle di Darren. Per questo il bambino che grida sempre "Voglio", e ottiene quello che chiede, raramente è soddisfatto.

I coniugi M. avevano cercato per anni di avere un bambino. Avevano entrambi una posizione professionale soddisfacente, ma senza un figlio la vita sembrava loro vuota. Finalmente, dopo una serie di cure per la fertilità, la signora M. rimase incinta e nacque Caroline, una bimba sana e graziosa. I genitori erano al settimo cielo ed erano molto indulgenti con lei. Volevano risparmiarle qualsiasi dispiacere e raramente la rimproveravano. La signora M. lasciò il lavoro per passare tutta la giornata con Caroline. Quando la bimba aveva quattro anni, la madre era invidiata dagli altri genitori: non si irritava mai, non gridava mai, aveva una pazienza infinita. Gli amichetti di Caroline la consideravano "la mamma più brava". Cucinava lei tutti i pasti, faceva lei stessa il pane con Caroline, era sempre pronta a giocare, a organizzare attività manuali, a cucire vestiti per mettersi in maschera. Tutto quello che voleva, Caroline lo otteneva. Non aveva bisogno di fare capricci. Ma, invece di essere contenta e allegra, Caroline appariva spesso imbronciata. Quando un'attività era finita, ne chiedeva subito un'altra. Quando la madre organizzava un gioco, cambiava idea e ne chiedeva un altro. Sembrava insoddisfatta. Se era sgarbata con un altro bambino, la mamma rideva dicendo: "Oh, Caroline, non sei stata molto gentile, sono sicura che non volevi farlo".

Gli amici di Caroline si stancarono di lei perché era troppo viziata, e finì per non essere molto popolare.

Siccome Caroline, lamentandosi o semplicemente chiedendo, otteneva sempre quello che voleva, crebbe con l'abitudine di averle tutte vinte. Non era abituata a scendere a compromessi o ad aspettare. Quando era in compagnia di altri bambini, non sapeva come comportarsi. Non era capace di condividere le cose e nemmeno di giocare con loro su un piano di parità. Il desiderio della madre di risparmiarle qualsiasi dispiacere si era rivelato controproducente, perché Caroline era incapace di stare con altre persone che non avessero come unica priorità le sue esigenze.

Edward ha due anni ed è l'unico figlio di una madre *single*. È un bellissimo bambino, con grandi occhi scuri e un sorriso accattivante. Gli piace molto la compagnia degli altri bimbi, ma si eccita facilmente, li afferra e li strizza, a volte facendo loro male e comunque spaventandoli. La madre è imbarazzata e si scusa per lui, ma non gli impedisce di rifarlo, o almeno non interviene in tempo. È il suo bambino prezioso e lei è entusiasta del suo carattere socievole ed espansivo. Sembra però non rendersi conto del suo comportamento aggressivo. Con l'andare del tempo, il bambino è sempre meno accettato nel gruppo di mamme e bambini che frequentano, e gli altri bimbi sono stufi di lui. La signora D. è imbarazzata e pensa che gli altri siano ingiusti con il figlio. È sempre pronta a difenderlo e a riprendere i bambini che a suo parere lo provocano. Edward diventa più apertamente aggressivo, anche nei confronti della madre.

È una dinamica molto comune, che si riscontra spesso nei gruppi di madri e bimbi piccoli. Solitamente la situazione si risolve da sé, perché pian piano la madre si rende conto di un lato del figlio che non è proprio perfetto. In generale i genitori si sanno adattare e riescono ad accettare i capricci, la gelosia e l'aggressività. Purtroppo, nel caso di Edward era stato fatto un tale investimento su di lui, il bambino tanto sognato, che il suo comportamento difficile non venne sufficientemente riconosciuto. La signora D. voleva conservare l'immagine di bravo bambino che aveva del figlio e non riusciva a cogliere altri aspetti del suo carattere. In questo modo Edward non era sicuro di essere amato per quello che era realmente. Cercava di comunicare la sua rabbia e la sua rivalità nei confronti degli altri bambini, ma, siccome i suoi sentimenti non erano capiti, non veniva aiutato a gestirli.

Con il passare degli anni Edward diventò un bambino sempre più difficile, sia a casa che a scuola. Il rapporto con la madre peggiorò. Pian piano la comunicazione fra loro divenne sempre più negativa. Edward pensava di essere considerato un bambino ingestibile, e questo accresceva la sua rabbia. Inoltre si sentiva in colpa perché non era come sua madre lo avrebbe voluto. La madre era molto delusa, arrabbiata e infelice. Fin dai primi anni non era riuscita a vederlo per quello che era, con i suoi lati positivi e i suoi lati negativi. Ma la cecità della madre a certi sentimenti aveva costretto Edward ad affrontarli da solo, cosa che non era in grado di fare in modo soddisfacente.

Dal punto di vista della madre, Edward rappresentava probabilmente un bambino ideale, ma il fatto di riconoscerne l'aggressività mandò in frantumi questa immagine. Siccome era sola, non aveva il supporto o anche solo la prospettiva di una visione diversa. Anche a lei mancava una persona che la potesse aiutare, che fosse in grado di tollerare i sentimenti disturbanti e di sopportarli insieme a lei. L'abitudine iniziale di non dire no a Edward bloccò lo sviluppo del bambino e gli impedì di trovare dei modi di venire a patti con il lato più difficile della sua personalità. Di conseguenza questi aspetti del suo carattere rimasero immaturi e, quando crebbe, gli causarono dei problemi.

L'utilità dei limiti

Sentirsi al sicuro

Un bambino che domina un adulto, l'abbiamo visto, si trova in una posizione molto inquietante. Se all'età di due o tre anni vi sentite più potenti di chi si prende cura di voi, come potrà mai proteggervi se se ne presenta la necessità?

Dal punto di vista del bambino, i limiti possono rappresentare delle restrizioni e mandarlo su tutte le furie, ma sono anche dei cancelli, che proteggono e fanno sentire al sicuro. Esistono molte buone ragioni per fissare dei limiti, oltre a quelle ovvie della salvaguardia dell'incolumità fisica, che comportano per esempio il divieto di giocare con oggetti pericolosi come le prese dell'elettricità, il fuoco, i coltelli. Le cose si complicano quando bisogna trattare, decidendo magari se lasciare che vostro figlio vi cammini accanto o se vi deve dare la mano per attraversare la strada. Poi ci sono le numerose occasioni quotidiane in cui, con mano gentile ma ferma, si devono porre dei limiti non direttamente legati all'incolumità fisica, che però aiutano il bambino ad acquisire maggiore sicurezza.

Dopo una mattinata trascorsa con un gruppo di amichetti, Amita vuole continuare a giocare anche durante il pranzo. La madre le dice: "No, adesso è ora di mangiare". Amita si mette a strillare e pesta i piedi, rifiutandosi di mangiare.

Se le venisse permesso di mangiare senza star seduta a tavola, portandosi in giro il cibo, all'inizio probabilmente gongolerebbe per il suo trionfo; ma forse penserebbe anche che la mamma non è stata capace di tenerle testa, come abbiamo visto prima nel caso dei bimbi prepotenti. O forse penserebbe che la mamma non vuole essere seccata e cercherebbe altri modi di attirare la sua attenzione. Raramente le concessioni fatte per quieto vivere si rivelano efficaci. Se la mamma riesce a dimostrarsi ferma, aiutando Amita a superare il malumore, e se Amita alla fine mangia e gusta il cibo, entrambe ne usciranno vittoriose. Si sentiranno più unite e soddisfatte per aver superato il conflitto.

Lo stesso vale per molte altre situazioni in cui può venirsi a trovare un bambino, come l'attesa di qualcosa che desidera, o la necessità di giocare da solo per un certo periodo. Nel caso di Amita, i limiti l'aiutano anche a capire che i capricci e il rifiuto di mangiare vengono visti nel contesto più ampio del suo interesse generale. La mamma potrebbe dire: "Lo so che sei arrabbiata e vorresti fare qualcos'altro, ma adesso è ora di pranzo ed è meglio che tu mangi tranquilla. Non mi importa che tu sia furibonda e non ho intenzione di cedere, ma farò in modo che tu abbia quello che è giusto per te". Non sono queste ovviamente le parole che la madre userebbe, ma il succo del messaggio è questo. Non è nemmeno necessario verbalizzarlo; può essere comunicato efficacemente anche con le azioni. Grazie alla fermezza della madre, Amita si sente protetta perché sa che, malgrado la sua resistenza, la mamma agisce per il suo bene. Sapere che qualcuno è disposto ad affrontare dei momenti sgradevoli nel nostro interesse ci dà sicurezza.

Crescere forti

L'altro aspetto importante dei limiti è che aiutano a sviluppare le proprie risorse. Se qualcun altro fa tutto il lavoro, soddisfa ogni vostro capriccio, voi diventate più debole e sempre più incapace di sopportare la frustrazione. Il genitore che, con le migliori intenzioni, cerca di risparmiare al figlio qualsiasi sofferenza, potrebbe privarlo dell'opportunità di sviluppare degli strumenti per far fronte alle difficoltà. Ovviamente bisogna valutare cosa è tollerabile per un bambino e distinguere il bisogno dal capriccio.

I bambini interiorizzano ciò che apprendono sui limiti che voi ponete loro, ma al loro ritmo. Può capitare di vedere un bambino di due-tre anni che rovescia apposta del succo sul pavimento, dicendo: "Brutto cattivo, non fare pasticci". Nel suo intimo si sta svolgendo una lotta fra la parte di lui consapevole che questa cosa non va fatta, e l'altra parte, che non sa resistere! Imparare a rispettare le regole richiede tempo e un arduo lavoro, che va apprezzato.

Ogni limite fissato rappresenta anche un'occasione di crescita. L'essere costretta a mangiare, quando avrebbe preferito giocare, offre ad Amita l'opportunità di risolvere un conflitto. Se riesce, è un primo passo verso la fiducia nella propria capacità di superare le difficoltà. La fermezza con cui la mamma fa rispettare alla bimba il ritmo che regola le diverse attività la aiuta a capire che le cose hanno una struttura, che gli eventi hanno un inizio, uno svolgimento e una fine. Questo le servirà per superare i momenti difficili, ma l'esperienza le tornerà utile anche nei momenti di svago.

Il bambino che vuole attenzione, o un certo giocattolo, o desidera svolgere un'attività, e deve aspettare o rinunciare, impara anche ad essere flessibile e paziente, a cercare delle alternative, a essere creativo, tutte qualità utili nella vita. Un bambino che deve giocare da solo perché la mamma è occupata può esplorare l'ambiente che lo circonda, trovare una scatola e costruirci un gioco, trasformandola in un castello, in un letto o in una navicella spaziale. Ricorrerà all'immaginazione per procurarsi la compagnia che desidera. Un bambino più piccolo userà la scatola per fare rumore, la rigirerà in tutti i modi, se la metterà in testa; come un piccolo scienziato, scoprirà tutto delle sue proprietà. La frustrazione stimola il bambino a fare uso delle proprie risorse, purché naturalmente il "no" sia ragionevole e non generi disperazione.

Il rifiuto dei limiti

Tutti sappiamo che non è facile sentirsi dire "no". Se rifiutate al bambino qualcosa che desidera, dovete essere pronte ad affrontare la sua reazione. ♦

Gli accessi d'ira

L'accesso di collera è tipico dei bambini in età prescolare. Possono avere dei fortissimi attacchi di rabbia e comportarsi come se stessero davvero per esplodere, buttandosi a terra, agitando furiosamente braccia e gambe. Noi reagiamo, in genere, arrabbiandoci o preoccupandoci che si facciano male. A volte questa scarsa capacità di autocontrollo ci imbarazza. I sentimenti che suscita in voi un accesso d'ira costituiscono la sua principale comunicazione: vi sentirete preoccupate, impotenti, crudeli e via dicendo. Ed è così che si sente il bambino. I francesi dicono che una persona è *"dans tous ses états"*, cioè "in tutti i suoi stati". Noi parliamo di "perdere la testa", "essere fuori di sé", come se davvero avessimo perso qualcosa che ci appartiene, una parte di noi stessi. Gli accessi di collera sono l'espressione esteriore della perdita di un senso coerente di sé, che genera nella persona un senso di frammentazione.

Possono essere momenti paurosi sia per chi li vive sia per chi vi assiste. I bambini piccoli, quando sono agitati, tendono ad agire piuttosto che a parlare, comunicano tramite il comportamento. Se un adulto riesce a contare fino a dieci e ad aiutare il bambino, a farlo tornare in sé, a farlo sentire meno dilaniato dalla collera, probabilmente il bambino finirà per tranquillizzarsi. L'adulto deve restare calmo, non deve farsi sopraffare dalle emozioni del bambino al punto da lasciarsi trascinare, cedendo anche lui all'ira. La collera non ha niente in comune con la ragione. Spesso, quando assistiamo a un accesso d'ira o ne siamo la causa, viene risvegliata una parte di noi che sa cosa significa perdere il controllo. Vogliamo bloccare in fretta l'esperienza e, invece di prendere le necessarie distanze dallo stato del bambino, premessa indispensabile per poterlo aiutare, ci lasciamo trascinare nel conflitto. È più facile cedere all'irritazione e dire "Piantala con queste assurdità", che prendere atto che il bambino è sofferente e ha bisogno di essere tranquillizzato e contenuto.

Quando i bambini sono piccoli, possiamo ancora trattenerli fisicamente, contenerli finché l'ondata è passata, e poi aiutarli a riprendersi. Alcuni bambini hanno bisogno di questo contenimento fisico, ad altri basta la voce, o la vostra pazienza, o semplicemente che li lasciate sfogare, limitandovi a essere presenti.

Genitori o mostri?

A volte i bambini si comportano come se vi foste trasformate nella strega di Biancaneve, e vi può capitare di chiedervi se non state agendo davvero in modo crudele. Dovrete magari rammentare a voi stesse che non è una cattiveria dire no a vostro figlio che pretende di vedere un'altra videocassetta, ma che, anzi, molto probabilmente è la cosa giusta da fare. Quando era in collera con me, mia figlia, standomi in braccio, piangeva e singhiozzava dicendo: "Voglio la mia mamma!", come per dire "Non te, orribile persona, la mia mamma, quella buona!" Sembra strano che, da piccoli, si possano provare sentimenti così contrastanti nei confronti della stessa persona. Ma, se riflettiamo un momento, ci rendiamo conto che è così per tutta la vita, anche se in forme meno evidenti. Spesso non capiamo come la persona che amiamo possa essere così esasperante. È un modo piuttosto comune di affrontare i sentimenti ambivalenti: separarli rigidamente, pensare che una persona sia buona e l'altra, che solitamente è quella che ci impone dei limiti, cattiva. Questo approccio può provocare problemi di ogni genere in seno a una coppia, o fra i genitori e la tata o altre persone che accudiscono il bambino, nonni, insegnanti. Come nelle fiabe, separare le cose, in questo senso, è un modo di semplificarle, di sentirsi giustificati se si odia o si ama in modo appassionato. L'ambivalenza è molto più difficile da gestire.

La comprensione del processo in atto ci aiuta a pensare con più chiarezza e a evitare di prendere le critiche in modo troppo personale; questo, a sua volta, rende più facile mantenere un atteggiamento fermo. Se riuscite a conservare l'immagine di voi stesse, a pensare che state facendo la cosa giusta per il bene di vostro figlio, agirete con più convinzione. Se invece date credito alla sua immagine di voi quando vi vede d'un tratto divenuta cattiva o crudele, potreste diventarlo davvero o sentirvi paralizzate, come abbiamo visto nell'esempio di Jack riportato all'inizio del capitolo. Può essere molto inquietante rendersi conto che un bambino vi ha trasformate in un mostro. Diventa difficile pensare con chiarezza. Bisogna prendere tempo per considerare oggettivamente la situazione ed esaminare cosa sta realmente accadendo. È giusta la percezione di nostro figlio? A volte può esserlo: vi accorgerete magari di essere state troppo dure, e potrete modificare il vostro atteggiamento. Altre volte, invece, capirete che avete fatto bene ad agire con fermezza, anche se a vostro figlio la cosa non piace. Allora dovrete essere preparata a far fronte alle sue critiche.

La collera

I limiti spesso provocano rabbia, e dobbiamo essere in grado di affrontarla. La collera è comune a noi tutti, eppure spesso vi è associato un senso di colpa. Invece è normale e sano provare rabbia per certe cose, ed è rassicurante per i bambini sapere che anche i genitori vanno in collera. La differenza sta nel modo di affrontarla. Se i genitori si arrabbiano e riescono a superare la collera, anche il bambino imparerà a gestire in modo positivo le proprie emozioni.

I bambini devono potersi arrabbiare e devono trovare dei modi accettabili di esprimere la collera. I motivi per cui si impuntano possono essere i più disparati. All'asilo nido c'è il bambino che protegge il suo puzzle come se ne andasse della vita, mentre un altro, se qualcuno gli porta via i pezzi, rinuncia e se ne va. C'è quello che, se viene picchiato da un altro bambino, si mette a strillare suscitando un pandemonio, mentre un altro si mette a piangere e cerca aiuto, un altro ancora reagisce picchiando a sua volta, un altro si ritira in silenzio in un cantuccio. Dovete sperare di far nascere in vostro figlio un forte senso di sé, perché si arrabbi quando viene maltrattato. Il modo in cui esprime la collera consente di prevedere le reazioni che susciterà a sua volta negli altri.

Nell'esempio appena riportato, potreste aiutare il primo bambino a considerare le percosse nella giusta prospettiva: è stato un vero trauma o un semplice litigio? L'ultimo bambino, invece, andrà probabilmente stimolato a difendere i suoi diritti e a non lasciarsi picchiare. Capita a tutti nella vita di provare rabbia; in tutte le famiglie e in tutte le situazioni sociali esistono i contrasti. Una grande capacità che tutti dobbiamo acquisire è quella di gestire i conflitti e le emozioni forti.

Vedremo ora un esempio molto diverso, in cui i comuni sentimenti di collera e di paura possono passare inosservati perché non sono chiaramente espressi. È la storia di Alan, che venne portato da me dopo la morte della sorellina.

Alan aveva quattro anni e qualche mese prima la famiglia aveva perso una bambina poche settimane dopo la nascita. Alan era un bambino molto intelligente, con una certa facilità di parola, sempre educato e riflessivo. Si era dimostrato molto comprensivo con i genitori, molto tollerante durante le loro numerose assenze per la malattia della sorella. Mi era stato mandato perché era sempre più spaventato, era ossessionato dal tempo, in particolare quando i genitori dovevano andarlo a prendere, ed era molto ansioso per il timore di perdere le cose. I genitori e le maestre della scuola materna erano preoccupati per l'inserimento nella nuova scuola che presto doveva iniziare. Aveva tutto il loro appoggio, capivano l'effetto che doveva aver avuto su di lui la morte della sorellina, ma non sapevano come aiutarlo.

Nel gioco, era tutto preso dalle situazioni di emergenza: ambulanze, la ricerca di un buon ospedale, incendi e pompieri, poliziotti e rapinatori. All'inizio aveva sempre un ruolo di soccorritore, ma poi pian piano le personalità cambiavano: il poliziotto diventava cattivo, il pompiere appiccava il fuoco e così via.

Naturalmente discutemmo dell'aspetto più ovvio del gioco, collegato al suo desiderio di salvare la sorellina, di trovare un buon ospedale dove la potessero curare, e poi alla sua disperazione perché nessuno dei soccorritori era riuscito a tenerla in vita. Questo era l'aspetto dei suoi sentimenti che tutti condividevano e riconoscevano e rispetto al quale cercavano di aiutare sia lui che se stessi. Mi sembrava importante però notare che a volte questi personaggi non erano per niente gentili e che, anzi, nel gioco erano loro a combinare guai. Osservammo allora che non sempre gli era piaciuta l'idea di avere una sorellina e che, a causa di questi suoi pensieri, si sentiva in qualche misura responsabile. Era spaventato non solo per ciò che era accaduto, ma anche per ciò che poteva accadere in futuro, per esempio ai genitori, se lui si arrabbiava con loro. Non si sentiva libero di essere in collera o di avere il broncio, non poteva far altro che comportarsi in modo gentile.

Una volta messi a nudo questi problemi, nelle sedute con me e nel gioco assunse un atteggiamento molto più naturale, vivace, a volte prepotente e sfacciato. Si comportava come avrebbe fatto qualsiasi bambino attivo della sua età. Riuscii a parlarne con i genitori e con lui. Pur essendogli stati grati per l'atteggiamento disponibile che aveva avuto in passato, adesso furono in grado di aiutarlo a esprimere i suoi sentimenti negativi, oltre a quelli positivi. Questo gli facilitò l'inserimento nel nuovo gruppo a scuola, nella mischia di una banda di bambini vivaci e turbolenti.

Bisogna che l'espressione della collera venga tollerata dagli altri perché il bambino non la senta come qualcosa di insopportabile o, nella peggiore delle ipotesi, letale. Se non si possono esprimere la collera e la rabbia diventa difficile, e a volte quasi impossibile, gestire questi sentimenti estremi. Se non ne può fare esperienza di persona, il bambino non ha modo di imparare a controllare le sue emozioni aggressive. Solo provandole può sapere quanto sono forti. Se non può buttar fuori tutta la sua rabbia, o tradurre almeno in parte in azioni quello che sente, può immaginare il suo potere di distruzione ben più grande di quanto non sia realmente. Rischia allora di subire un trauma quando deve affrontare un compagno prepotente. A seconda della sua esperienza e di come l'ha elaborata, si può comportare da bravo bambino che non usa mai le mani, ed essere picchiato; può pensare di essere invincibile e scoprire con stupore che l'altro bambino è molto più forte di lui; può essere incapace di controllarsi e fare molto più male di quanto fosse nelle sue intenzioni.

Dovrebbe esserci uno spazio in cui i sentimenti di collera sono legittimi. L'espressione della collera e i limiti entro cui viene accettata variano molto non solo a seconda delle culture, ma anche da una famiglia all'altra. Sbattere le porte, urlare, rompere oggetti può essere normale in una famiglia e inconcepibile in un'altra. Il bambino deve sperimentare innanzitutto la collera nella propria famiglia, per poter poi fare confronti con ciò che è consentito altrove.

L'aggressività

A volte i bambini, per dar sfogo alla collera, diventano aggressivi. L'aggressività è spesso l'altra faccia della paura. I bambini piccoli, in particolare, traducono subito in azione i loro sentimenti; per capire che il pensiero deve precedere l'azione hanno bisogno dell'esempio di un adulto. Come abbiamo visto prima, nel caso di Paul l'aggressività nasceva dalla paura. Non osava quasi provare un sentimento, e di solito agiva prima ancora di sapere cosa provava. Attraverso esempi di deprivazione come quello di Paul e di altri, capii che è indispensabile riflettere su ciò che provano questi bambini, parlarne e aiutarli a tradurre in parole le loro emozioni, in modo che imparino a frapporre un intervallo, una distanza fra il sentimento e l'azione. Quello di Paul è un esempio estremo, ma a tutti i bambini può capitare di vivere un'esperienza analoga, anche se meno intensa e grave.

Spesso i bambini, quando sono spaventati o si sentono minacciati, perché sono stati rimproverati, o perché non sanno fare ciò che viene loro richiesto, o perché sono vittime della prepotenza di altri bambini o di adulti, diventano aggressivi. Un modo di non essere spaventati è assomigliare a quelli che ci fanno paura, diventare noi l'aggressore. Essere piccoli può essere una condizione paurosa: sembra che tutti sappiano fare meglio le cose, abbiano più potere, siano più grossi e più forti.

Mi viene in mente un libro molto piacevole, che illustra questo aspetto: *Where the Wild Things Are* di Maurice Sendak:

> Quella notte Max si mise la pelliccia da lupo e fece disastri di ogni genere; sua madre lo chiamò "PICCOLO SELVAGGIO!" e Max disse, "TI MANGIO!", così fu mandato a letto senza mangiare. Proprio quella notte, nella stanza di Max crebbe una foresta, e crebbe, e crebbe finché dal soffitto pendevano tralci di rampicanti, e le pareti divennero il mondo tutto intorno e un oceano si agitò lì accanto, con una barca privata per Max, e lui fece vela attraverso notti e giorni, dentro e fuori dalle settimane, per quasi un anno, verso il paese dei piccoli selvaggi.

Mi sembra che la storia illustri molti aspetti del "piccolo selvaggio" che i bambini celano in sé. Offeso per essere stato rimproverato, Max si ritira in un luogo fantastico, pieno di figure paurose: e i genitori possono essere spaventosi quando sono arrabbiati. Il viaggio dura un'eternità, perché quando si viene isolati il tempo non passa mai. Finalmente trova rifugio presso i piccoli selvaggi. Come affrontarli se non diventandone il re? Ma quando si indulge alla sregolatezza e alla ribellione, ci si accorge poi che è una condizione ben solitaria. Max allora si rende conto che i mostri sono cattivi e, come ha fatto sua madre con lui, li manda a letto senza cena. Fortunatamente però, Max non ha scordato la mamma, ne conserva un'immagine "abbastanza buona", e così "da lontano, dall'altra parte del mondo, sentì il profumo di cose buone da mangiare". Capiamo che è un bambino molto amato perché, nel lieto fine, trova la strada di casa, dove lo attende una cena calda – l'idea di una madre che lo ama ancora malgrado la sua ribellione.

Sfortunatamente per il mio piccolo Paul e per molti altri bambini con cui ho lavorato, la via di casa non è sempre facile da trovare, la foresta selvaggia è spesso più sicura di ciò che li aspetta a casa, e il suo invito a restare è molto allettante. Per molti bambini il luogo selvaggio diventa un luogo di soggiorno permanente, piuttosto che un viaggio occasionale. Un dato allarmante emerso dalla ricerca è che "un trauma infantile genera un comportamento violento non solo nell'infanzia e nell'adolescenza, ma anche nella vita adulta". Il lavoro con i bambini piccoli ci offre un'ottima opportunità di provare a spezzare il cerchio, aiutandoli ad avere un'esperienza diversa.

Non dobbiamo dimenticare, tuttavia, che l'aggressività può essere anche una forza positiva. Può essere l'equivalente emotivo del tono muscolare. Spesso è l'aggressività a rendere determinati, a dare una spinta in avanti. Sta a noi, poi, farne un uso costruttivo o distruttivo.

Odio e amore

Con il tempo si impara che pensiero e azione non sono la stessa cosa. Riflettendo di più prima di agire, si può anche cominciare a scegliere se si vuole o meno agire. Il mio piccolo Paul imparò a dire "Voglio spaccare la finestra", invece di farlo. L'altro grosso vantaggio derivante dal fatto di pensare prima di agire è che si impara a conoscere le conseguenze delle proprie azioni.

In quanto genitori, dobbiamo essere capaci di accettare la furia e la collera che provochiamo quando prendiamo posizione e diciamo no ai nostri bambini. Dobbiamo imparare a stabilire delle regole di convivenza, nella speranza di aiutare nostro figlio ad avere considerazione per gli altri.

Jeremy, un bambino delizioso e loquace che venne da me nel

periodo compreso fra i due anni e mezzo e i cinque anni, mi era stato inviato per il suo comportamento turbolento. I genitori, gente piuttosto tranquilla appartenente alla classe media, avevano difficoltà a controllarlo ed erano estenuati dal suo comportamento agitato, violento e volubile. L'"ultima goccia" che fece precipitare gli eventi fu quando il bambino colpì il padre alla testa con un martello mentre suonava il piano, perché voleva la sua attenzione. Quello che segue è il resoconto di una seduta che si svolse dopo una vacanza, quando Jeremy aveva quattro anni:

Jeremy entrò come una furia. Si mise a ruggire aggirandosi per la stanza, minacciando "ti mangio". Non riusciva a calmarsi, correva qua e là, tagliava carta, faceva scarabocchi, giocava a far schizzare l'acqua del rubinetto e così via. Si guardò intorno e, con voce tonante che ricordava quella dell'orco nella storia di *Pollicino*, disse: "Chi è stato qui?" Gli parlo della vacanza che lo ha fatto arrabbiare, gli dico che è come l'orco che rovista dappertutto, chiedendosi chi è stato con me quando lui non c'era. Comincia a estrarre con malagrazia i mobili dalla casa delle bambole e dice: "È morta, lo vedi". Strappa dei pezzi e comincia a morderli. Dico che è così arrabbiato che si sente come un leone che ruggisce e strappa a morsi le cose, le mangia e le fa morire. Dice con grande calma che quando piange vuole la signora Phillips. Gli dico che le vacanze gli sono pesate molto – abbiamo sentito la mancanza dei momenti trascorsi insieme. "Se ti mangio non sarai qui, vero?" mi chiede. Rispondo che quando si vuole bene a una persona, come lui vuole bene alla mamma e a me, si provano dei sentimenti molto forti e si ha paura di poterle fare del male e di perderla.

Naturalmente è irrilevante che potesse o meno mangiarmi; la verità, dal punto di vista emotivo, è che era così arrabbiato che voleva farlo. Come abbiamo visto prima, nella fantasia tutto è possibile. Jeremy poteva anche aver pensato che, se mangi qualcuno, poi è dentro di te e non può più andarsene. Nel corso delle sedute riuscì a superare la rabbia e a riflettere sul fatto che mi voleva anche bene. È in questa condizione di ambivalenza che cominciamo a vedere l'altro a tutto tondo, con i lati buoni e quelli cattivi, e a decidere cosa ne pensiamo globalmente, come persona. Grazie alla capacità di sopportare la collera e di riconoscerla, inoltre, può avere inizio il pensiero e con esso l'apprezzamento dell'altro e la gratitudine. Jeremy ed io avemmo molte occasioni di esplorare i sentimenti forti e l'impatto che possono avere, che si trattasse di sentimenti positivi, d'amore, o di collera e odio. Sono certa di aver imparato dalla sua onestà e dalla sua schiettezza almeno quanto lui imparò da me. Non è difficile immaginare quanto mi fossi attaccata a lui!

Limiti quotidiani

Ho cercato di dimostrare che ogni comportamento ha un significato, che ha luogo in un contesto di relazioni e che di conseguenza una stessa storia può avere molte sfaccettature. Abbiamo visto che a volte si provano dei sentimenti contrastanti, e che l'esperienza passata può influenzare il presente. Abbiamo visto alcune conseguenze del dire o del non dire no e abbiamo analizzato le reazioni più probabili di fronte a un diniego. Ora vorrei esaminare il problema dei limiti in relazione alle situazioni conflittuali più comuni della vita con i bambini piccoli e ai loro comportamenti più frequenti.

La separazione

Uno dei momenti in cui è indispensabile dire no a un bambino è quello della separazione. Vostro figlio vorrebbe stare con voi, ma deve stare con altri. Uno dei problemi più frequenti lamentati dai genitori è che il loro bambino non accetta facilmente la separazione, si aggrappa e piange. La loro preoccupazione non è solo che non stia bene con gli altri, ma anche che, se non gestiscono bene la separazione, il rapporto ne risenta e diventi meno piacevole stare insieme. Il bambino si aggrappa a voi, mentre voi cercate di respingerlo. Anche qui dobbiamo analizzare che significato ha per ciascuno questo comportamento. La separazione è sempre un processo a due sensi.

Una delle prime separazioni significative per i bambini piccoli ha luogo quando vengono lasciati con la nonna, con la babysitter, con la tata, all'asilo nido o alla scuola materna. Quando si visita un asilo nido c'è sempre almeno un genitore che, benché apparentemente intento ad allontanare il figlio, è in realtà molto preoccupato di lasciarlo. Quando il bambino, anche se forse un po' riluttante, ha già salutato e se ne sta andando, sarà magari il genitore a salutare di nuovo, facendo capire che una volta non bastava e che la situazione è penosa anche per lui. È molto probabile che, alla fine della scena, il bambino sia in lacrime, perché avrà colto e amplificato i sentimenti del genitore. Ecco perché, in alcuni asili, ai genitori non è consentito varcare la porta d'ingresso. Questo naturalmente non risolve il problema della separazione per il genitore e per il bambino, ma, almeno nel breve termine, facilita la vita al personale della scuola.

Il modo in cui il bambino vive la separazione dipende da come gli viene presentato il tempo che trascorrerà lontano dai genitori. La madre si fida della persona a cui lascia il figlio? Ha un buon ricordo dei periodi che lei stessa trascorreva fuori casa?

Pensa di lasciare il figlio per il suo bene o per una propria esigenza, per esempio il lavoro? Tutti questi fattori influenzeranno il modo in cui prende commiato da lui. Un commiato tranquillo e fiducioso crea nel bimbo la prospettiva che trascorrerà delle ore piacevoli.

Spesso ci si chiede se sia meglio salutare o sparire senza che il bimbo se ne accorga. Molti adulti sembrano convinti che i bambini piccoli non si rendano conto di ciò che li circonda: lontano dagli occhi, lontano dal cuore. Avendo lavorato per molti anni con bambini di età inferiore ai cinque anni, posso garantire che niente è più lontano dal vero. È vero piuttosto che, se vengono informati di una partenza imminente, i bambini hanno la possibilità di obiettare e di fare i capricci. I genitori devono capire e accettare questi sentimenti, senza rinunciare ai loro programmi.

Può creare disagio anche la situazione opposta, quella cioè in cui il bambino è contento che la mamma se ne vada. Questo può far soffrire una mamma che ama il figlio e sa che le mancherà.

Che fare con un bambino che strilla, vi si aggrappa e sembra non possa sopportare di essere abbandonato? Come negli esempi riportati sopra, dovete chiedervi se questi sentimenti riflettono la situazione reale. Se andate via malgrado le sue proteste e lo fate in modo positivo, fiduciose che vostro figlio sia in buone mani, rafforzate l'idea che starà bene senza di voi, che esistono altre persone al mondo in grado di prendersi cura di lui. Se non ve ne andate, ammettete di fatto che solo voi potete occuparvi di lui e che il mondo non è un posto sicuro. Naturalmente la separazione va preparata con intelligenza. Bisogna valutare anche quanto tempo vostro figlio riesce a stare senza di voi. Dovrà magari essere un processo graduale, ma deve essere avviato perché il bambino possa gustare altre gioie oltre a quelle che voi gli offrite.

Il sonno

La psicoterapeuta infantile Dilys Daws attribuisce grande importanza all'atteggiamento dei genitori rispetto alla separazione e al modo in cui ne parlano ai figli. Nel suo libro *Through the Night*, fa risalire le turbe del sonno ai sentimenti ambivalenti dei genitori in proposito.

Oggi molti genitori acquistano un letto più grande per far posto ai bambini che si infilano accanto a loro di notte. È un problema dei nostri tempi. Non esiste una valutazione unanime dei pro e dei contro di questa abitudine. Va detto anche che è raro che, una volta cresciuto, da adolescente o addirittura da adulto, un figlio dorma con i genitori! In complesso, quindi, possiamo considerare la questione soprattutto in relazione ai bambini di età compresa fra i due e i sei o sette anni. Perché abbiamo difficoltà a dimostrarci fermi quando si tratta di mandare a letto i figli e a dir loro di no quando vogliono venire nel lettone? Che cosa interferisce con le nostre decisioni? Come sempre, la risposta non è semplice. Le interferenze possono essere molteplici. Nel capitolo 1 abbiamo parlato della paura della separazione. Il sonno suscita spesso un senso di perdita che, nella sua forma più estrema, diventa paura della morte. Tennyson definì il sonno "fratello gemello della morte" e molti genitori, prima di andare a letto, si accertano che il figlio stia bene, che respiri.

Quando ci si abbandona al sonno si entra in un tempo o in uno spazio su cui non si ha molto controllo. È una condizione di isolamento. Per alcuni rappresenta un porto tranquillo, intimo, pieno di sogni piacevoli. Per altri è un mondo tempestoso, popolato da incubi. Per i più è un misto delle due cose. Ma non sappiamo in anticipo come sarà il nostro sonno. Il linguaggio quotidiano lo presenta come un viaggio: ci auguriamo la buona notte, dei sogni piacevoli, diciamo "Ci vediamo domattina", tutte frasi tipiche della partenza e del ritorno.

L'atteggiamento dei genitori influenza le aspettative del bambino nella zona di penombra fra la veglia e il sonno. Il genitore che lascia una luce accesa nel caso che il figlio abbia paura del buio, dà già l'idea che l'oscurità sia fonte di angoscia piuttosto che di riposo. Lo stesso vale per altre scelte: porte aperte o chiuse, silenzio o rumore. Il modo in cui viene visto e preparato il sonno ne trasmette anche una certa immagine. C'è una bellissima storia per bambini, *The Owl who was Afraid of the Dark*, che narra come un gufetto supera la paura del buio parlando con creature che invece lo amano. Se pensate che un letto vuoto sia un piacere, è più probabile che vi dimostriate decise nel sostenere che vostro figlio deve dormire da solo. Se invece vi sembra un posto solitario, immaginerete che sia questo il motivo per cui vuole stare con voi e lo lascerete entrare nel vostro letto. In realtà può avere motivi del tutto diversi per venire nel vostro letto o per non voler dormire. Invece di dare per scontato che sia come voi, dovete imparare ad ascoltarlo.

Possono esistere molti altri motivi per cui i genitori permettono ai figli di stare alzati fino a tardi o di dormire nel lettone. Una madre o un padre che sono via tutto il giorno per lavoro approfittano della sera, che è l'unico momento in cui possono stare con il loro bambino. Tenerselo stretto di notte dà loro un senso di intimità, li fa sentire in contatto con lui. Una notte passata insieme di tanto in tanto può essere molto soddisfacente per tutti. È importante tuttavia sapere di chi sono le preoccupazioni e i bisogni che vengono soddisfatti. Una madre *single* con cui ho lavorato prendeva spesso la figlia nel letto perché era lei ad avere paura di notte. Pur sapendo che una bambina di due anni non poteva certo proteggerla, si sentiva più al sicuro con lei accanto.

Altri motivi possono essere legati a problemi coniugali. Un bambino nel letto, in apparenza perché ambedue i genitori possano occuparsi di lui e dei suoi bisogni, può celare il desiderio dei coniugi di prendere le distanze l'uno dall'altro. In una coppia non felice, la presenza di un bambino nel mezzo può aiutare i genitori a sfuggire al senso di solitudine, e nel contempo fungere da barriera fra loro. Ma una situazione del genere non aiuta il bambino. Sentirà che i genitori hanno bisogno di lui e avrà difficoltà a proteggere il proprio spazio. Alcuni bambini si preoccuperanno dell'ostilità fra i genitori e vorranno essere presenti per accertarsi che non accada niente di male. Gli stessi genitori potrebbero essergli grati perché fornisce loro una rete di sicurezza. Altri bambini, percependo il dissenso, vorranno riempire il vuoto stando vicini a un genitore e respingendo l'altro. Se vi ritrovate ad avere sempre vostro figlio nel letto, sarà opportuno considerare tutti questi problemi, ed altri ancora.

Non è positivo per un bambino avere il permesso di trascorrere, ogni notte, la notte intera con voi. Gli impedisce di diventare autonomo. Un bambino che di notte ha paura e viene preso regolarmente nel lettone non elabora delle strategie per cavarsela da solo, e di conseguenza è sempre vulnerabile. Una notte dopo l'altra avrà paura, chiamerà la mamma, e non imparerà a ricorrere ad altri sistemi, per esempio nascondere la testa sotto le coperte, cantare fra sé e sé una canzone o ascoltare una cassetta. Se è convinto che ci siano coccodrilli sotto il letto o folletti maligni nell'armadio e voi lo portate via regolarmente dalla sua stanza, anche se a parole ne negate l'esistenza, con le azioni suggerite che sia meglio stare alla larga da quel luogo. Non ha fatto l'esperienza di restarci e di scoprire che nella sua camera da letto non ci sono belve feroci. Se invece è costretto a escogitare dei metodi per far fronte alla paura, con il tempo e con l'aiuto di varie strategie finirà per sconfiggerla, acquisendo così maggiore forza e fiducia in se stesso e nella sua capacità di reagire. Nel romanzo epico fantascientifico *Dune*, Frank Herbert inventa una "Litania contro la paura", che mi pare descriva bene come la si può affrontare e vincere:

> Non devo avere paura. La paura è la rovina della mente. La paura è la piccola morte che porta all'annientamento. Affronterò la mia paura. Le permetterò di attraversarmi e di passarmi sopra. E quando sarà passata volgerò l'occhio interiore a guardare il suo cammino. Dove la paura se n'è andata non ci sarà niente. Rimarrò soltanto io.

Con esperienze come quella della paura, per un bambino piccolo tutte le rassicurazioni e tutti i discorsi del mondo non saranno convincenti quanto il fatto di provarla, sopravvivere all'emozione e superarla.

Magari un bambino si ricorda della paura solo al momento di andare a letto, ma un genitore può pensarci durante il giorno, scegliendo il momento opportuno per parlarne al figlio e per studiare insieme a lui dei modi di affrontarla prima che si trasformi in panico. Quando arriva il momento, genitore e figlio avranno probabilmente avuto delle idee, avranno trovato dei piani e delle strategie a cui il bambino può ricorrere. Si possono escogitare moltissime soluzioni, fra cui quella di portare con sé un giocattolo speciale, nascondersi sotto le coperte, ascoltare un po' di musica o una storia, lasciare una lucina accesa e via dicendo.

Il cibo

In molte famiglie il momento della pappa si trasforma in una battaglia vera e propria su cosa e come si deve mangiare. Le madri sono particolarmente sensibili alle reazioni del figlio al cibo che gli offrono, perché spesso vivono il rifiuto del cibo come un rifiuto della loro stessa persona. A volte al momento del pasto entrano in gioco tali e tante emozioni da far passare l'appetito a un bambino, che può trovare poco digeribile non tanto il cibo, quanto l'atmosfera. Tutti abbiamo provato, in situazioni di tensione, una sensazione di nodo allo stomaco. I bambini piccoli, soprattutto prima di avere un sicuro controllo del linguaggio, sono molto sensibili al clima emotivo. Un bambino può rifiutare la crema di pollo perché semplicemente non gli piace, ma se il suo rifiuto viene preso come una manifestazione di odio nei confronti della mamma, troverà difficile mangiare qualsiasi cosa. Molte barzellette ebraiche prendono spunto da questa interazione, che è comunissima fra madre e figlio. Oppure il bambino cede per amor di pace e smette di decidere da sé cosa gli piace e cosa non gli piace.

D'altra parte però, un bambino che rifiuta di provare qualsiasi cosa nuova o si comporta come se tutto il cibo fosse cattivo può avere bisogno di una madre capace di interpretare per lui questa sua riluttanza. Come abbiamo visto, le nostre reazioni aiutano il bambino a farsi un'idea del mondo che lo circonda. Una madre che consente al figlio di essere molto schizzinoso dimostra di pensare, come lui, che le cose buone da mangiare sono veramente poche. Una madre che non riesce a dire no al figlio che le chiede ogni giorno lo stesso piatto, o che gli permette di rifiutare la maggior parte dei cibi, può finire per lasciarsi tiranneggiare dal figlio, accettando che le dia degli ordini. Se comincia a cambiare modo di cucinare e a soddisfare tutti i capricci del figlio, se si preoccupa troppo di quello che gli va o non gli va di mangiare, diventa insicura, e questo rende il bambino ancora più sospettoso riguardo a ciò che gli viene offerto. A volte le mamme si sentono in colpa perché il figlio non ha una dieta sana. Il cibo diventa fonte di dispiacere, ed è un vero peccato. Per risolvere il problema, pur rispettando i gusti del bambino, la madre potrebbe stabilire come regola, per esempio, che deve almeno assaggiare le cose nuove, oppure che può scegliere di non mangiare un numero limitato di cibi. Potrebbero magari raggiungere un compromesso che esclude dal menu spinaci, fagioli e cavolfiori, includendo però altre verdure. Queste regole rispettano i gusti del bambino, ma permettono anche alla madre di riaffermare la sua idea che nella vita esistono molte cose deliziose. Come abbiamo visto in tutto il capitolo, è importante che la madre sia fiduciosa e convinta di offrirgli delle cose buone; sarà questa l'immagine che presenterà al figlio, che il più delle volte apprezzerà i pasti.

L'attesa

I bambini piccoli vivono intensamente nel qui ed ora. Hanno un senso del tempo molto soggettivo. Aspettare costa loro fatica; vogliono gratificazioni istantanee, che in parte sono di natura fisica. Un bambino affamato diventa capriccioso, nervoso e fastidioso. La trasformazione che avviene dopo il pasto ha qualcosa di miracoloso: il bambino diventa allegro e simpatico. Anche un bambino che cova una malattia può avere all'inizio un comportamento irritabile. Solo quando la malattia si manifesta capiamo a cosa era dovuto il malumore. (Dopo ripetute esperienze, ho deciso che un comportamento irritabile è un ottimo strumento per diagnosticare una malattia, quasi un sintomo!)

Quando un bambino non ottiene quello che vuole, ha la sensazione che aspettare gli faccia male. È in parte una sensazione realistica, basata sulla sua esperienza, ma deve anche imparare che ogni tanto aspettare non guasta, che sopravviverà alla prova e ai sentimenti suscitati in lui dall'attesa. A volte la reazione del bambino è tale che la madre, temendo che non possa tollerare l'attesa, interrompe qualunque cosa stia facendo per precipitarsi da lui. Spesso gli amici si lamentano di non riuscire ad avere una conversazione decente con una madre perché il figlio continua a interrompere. Se l'esperienza dell'attesa si ripete più volte e ha una durata tollerabile, il bambino si abitua e acquisisce fiducia nella propria capacità di cavarsela da solo.

Se una madre si considera crudele perché fa aspettare il figlio, è possibile che abbia una fortissima identificazione con lui e assecondi in realtà il proprio lato infantile. Se voi trovate molto penosa l'attesa, difficilmente riuscirete a trasmettere a vostro figlio un'immagine diversa. La vostra difficoltà e la sua si sommano. Come abbiamo già visto in altre occasioni, è importante districare i sentimenti e capire di chi sono quelli predominanti.

Un altro ostacolo è il senso di colpa. È capitato a molte madri di sgridare severamente il figlio e di sentirsi in colpa perché il giorno dopo gli scoppia un terribile raffreddore. Nella peggiore delle ipotesi abbiamo l'impressione che sia stata la sgridata a farlo ammalare. Si ha quasi la sensazione che dire no, fissare dei limiti, sia pericoloso. Abbiamo visto, invece, che è proprio l'opposto, che è dannoso non farlo. Il bambino che non sa aspettare è alla mercé delle sue emozioni, che sono molto intense, e può sentirsi profondamente infelice. Dargli un limite può aiutarlo ad arginare questi sentimenti, a tenerli entro dei confini. Altrimenti si può sentire pieno di una furia selvaggia che non viene mai domata, proprio come abbiamo visto nel caso dei bambini che si comportano come se fossero onnipotenti.

Il comportamento distruttivo

In qualsiasi circostanza, è importante che un bambino impari a non fare del male agli altri e, se lo fa, a riparare il danno fatto. Se gli viene permesso di comportarsi in modo distruttivo, il bambino alla fine è spaventato, sia per quello che ha fatto sia per quello che voi potreste fare a lui. Un giorno Paul, il bambino violento di cui ho parlato prima, venne portato a fare una radiografia. Quando la macchina gli si avvicinò si mise a strepitare e a strillare "Non sparatemi!", evidentemente terrorizzato all'idea che fosse giunta l'ora della punizione. I bambini che hanno il vizio di rompere le cose e di fare a pezzi ciò che causa loro frustrazione, all'inizio possono sentirsi in colpa, e alla lunga disperare che qualcosa di buono possa sopravvivere. Finiscono per avere la sensazione che il mondo sia rotto e non ci sia speranza di ripararlo. È un sollievo quando qualcuno vi impedisce di fare del male agli altri; significa che sarebbe pronto a proteggere anche voi. Quando un bambino è travolto da un impeto d'ira, sente di non riuscire a controllarsi. Anche qui, il fatto di essere bloccato con fermezza viene interpretato come un segno che ci si preoccupa per lui e che, per il suo bene, si è pronti ad affrontare la sua collera.

Leggiamo spesso sui giornali di bambini cresciuti ai margini della società, dove quello che fanno sembra non importi a nessuno. Nessuno si prende cura di loro, preoccupandosi che non siano distruttivi e che non finiscano nei guai. Questi bambini hanno la sensazione che ciò che fanno sia del tutto indifferente. Diventano menefreghisti. Consentendo loro di comportarsi in questo modo lasciamo che si costruiscano un mondo triste e squallido.

Le buone maniere

Uno dei nuovi compiti che devono affrontare i bambini di età compresa fra i due e i cinque anni è quello di imparare l'arte di stare in compagnia. Fino a una certa età non ci si aspetta niente da loro a questo riguardo, ma dai due anni in poi devono cominciare a cimentarsi anche con questi problemi. Per essere più precisi, il bambino ha già avuto un assaggio dei doveri della vita in società: sorridere o fare ciao con la manina, dimostrarsi amichevole con altri che non siano i genitori e così via. Ma, crescendo, un bambino può venir sgridato se non si comporta in un certo modo.

Anche in questo caso il nostro compito è quello di aiutare il bambino a rispettare le regole, senza però schiacciare il suo senso di sé. Dobbiamo sempre cercare un equilibrio fra ciò che riteniamo giusto e ciò lui è in grado di fare. È essenziale che i bambini imparino a comportarsi bene in compagnia, per il semplice motivo che se non lo fanno nessuno vorrà stare con loro.

Può darsi che consideriamo l'infanzia un meraviglioso periodo di libertà e siamo restie a imporre dei limiti. Oppure, se pensiamo che i bambini non siano altro che dei piccoli adulti, saremo esasperate quando non si comportano come tali e li obbligheremo ad adeguarsi. La nostra concezione dei privilegi dell'infanzia e degli obblighi derivanti dal fatto di far parte della società avrà molta influenza sul modo in cui imponiamo certi limiti. Entrerà in gioco anche la lotta che noi stesse conduciamo per conservare un'individualità pur facendo parte di un gruppo. È importante perciò rispettare lo stile personale del bambino, che sta emergendo, dandogli però, nel contempo, gli strumenti per cavarsela bene nella vita. In genere la coerenza, la costanza e la ripetizione funzionano meglio dell'imposizione.

È importante anche che, come genitori, diamo valore al fatto di essere trattati bene. Una madre che permette al figlio di essere sgarbato e poco rispettoso nei suoi confronti gli comunica che è questo il modo giusto di trattarla. Accetta un suo aspetto violento e maleducato che, come abbiamo visto, non è salutare per lui. Gli fornisce inoltre un modello di comportamento: quando qualcuno gli farà uno sgarbo, non sarà capace di farsi valere. Per le madri che non hanno una forte autostima o che basano la propria immagine di sé sulla totale disponibilità sarà più difficile comportarsi con fermezza. Dobbiamo ricordare che i nostri figli sono influenzati non solo da come ci comportiamo con loro, ma anche da come consentiamo loro di comportarsi con noi. Le buone maniere e le convenzioni sociali non sono solo un fatto superficiale; in origine, e fondamentalmente, riguardano i rapporti con gli altri. Diventare grandi comporta delle limitazioni alla propria libertà. Nel *Piccolo principe*, di Antoine de Saint-Exupéry, c'è un brano molto toccante, quello in cui la volpe gli chiede di addomesticarla. Il piccolo principe vuole giocare con una volpe che ha appena incontrato. La volpe gli risponde che non può giocare perché non è addomesticata. Il piccolo principe è sconcertato, allora la volpe gli spiega che "addomesticare" significa "stabilire dei legami". E prosegue:

...se tu mi addomestichi, la mia vita sarà come illuminata. Conoscerò un rumore di passi che sarà diverso da tutti gli altri. Gli altri passi mi fanno nascondere sotto terra. Il tuo, mi farà uscire dalla tana, come una musica. E poi, guarda! Vedi, laggiù in fondo, dei campi di grano? Io non mangio pane e il grano per me è inutile. I campi di grano non mi ricordano nulla. E questo è triste! Ma tu hai dei capelli color dell'oro. Allora sarà meraviglioso quando mi avrai addomesticato. Il grano, che è dorato, mi farà pensare a te. E amerò il rumore del vento nel grano...

Una madre che aiuta il figlio a costruire dei rapporti sarà sempre speciale per lui. Avrà meritato la sua gratitudine.

Il posto all'interno della famiglia

Un bambino può nascere in una famiglia in cui ci sono già dei fratelli, o essere il primo. Spesso è nell'età compresa fra i due e i cinque anni che si ha l'esperienza della nascita di un fratellino. Al bambino si pone allora il problema del suo posto nella famiglia. Dovrà affrontare dei cambiamenti e probabilmente non sarà facile condividere le cose con il nuovo arrivato.

Per poter condividere, il bambino deve partire da una posizione di sicurezza, deve sapere di essere profondamente amato. L'arrivo di un fratellino può far vacillare la sua fiducia nell'amore dei genitori, e sarà quindi necessario riaffermarlo. Torno alla storia del Piccolo principe, che è affezionato a una rosa in particolare e dice alle altre rose:

Voi siete belle, ma siete vuote... Non si può morire per voi. Certamente, un qualsiasi passante crederebbe che la mia rosa vi rassomigli, ma lei, lei sola, è più importante di tutte voi, perché è lei che ho innaffiata. Perché è lei che ho messa sotto la campana di vetro.

Perché è lei che ho riparata col paravento. Perché su di lei ho uccisi i bruchi (salvo i due o tre per le farfalle). Perché è lei che ho ascoltato lamentarsi o vantarsi, o anche qualche volta tacere. Perché è la mia rosa.

Fare posto ai fratelli

La ricerca ha dimostrato che i primogeniti appartenenti a questo gruppo di età hanno delle reazioni particolarmente forti alla nascita di un fratellino. Provano ostilità e rivalità nei suoi confronti, sono furibondi con la madre e diventano possessivi. Cominciano ad avere un comportamento difficile, esigente e spesso più infantile. Vogliono il ciuccio, si succhiano il pollice, bagnano il letto. Come abbiamo già visto per la collera, bisogna lasciare che esprimano ciò che provano. È importantissimo rassicurarli, facendo loro capire che sono amati anche se sono pieni di sentimenti negativi. Questo li rende più fiduciosi e sicuri del rapporto con voi e li aiuta ad accettare i propri sentimenti e a integrare le emozioni contraddittorie. Per loro può essere un trauma rendersi conto che il nuovo arrivato rimarrà per sempre.

Ricordo il caso di un neonato ospitato nel primo periodo di vita in un reparto di terapia intensiva; il padre e la madre erano esterrefatti per come la figlia di tre anni, Suzy, aveva accettato di buon grado la nascita del fratellino. Quando le proponevano di andarlo a trovare non faceva i capricci, in reparto si comportava bene e non dava fastidio. Quando la madre tornò a casa, Suzy era contenta di venire a trovare tutti i giorni il fratellino; la incuriosiva vedere la madre che lo allattava e gli cambiava il pannolino. Quando il fratellino si fu ripreso e poté tornare a casa, era eccitata ed elettrizzata. Ma alla fine della prima giornata chiese alla madre quando lo riportavano in ospedale. Non si aspettava di certo che venisse a vivere con loro!

Molte famiglie hanno una storia simile da raccontare, del figlio maggiore che vuole dar via il fratellino, o riportarlo al negozio o cose simili. Non sempre è facile dire no al suo desiderio di liberarsi del fratellino e fargli capire con fermezza che adesso fa parte della vostra vita. Molte madri si identificano con il figlio maggiore perché ricordano forse di essersi sentite spodestate dal nuovo arrivato. Se fossero le minori, invece, si potrebbero sentire in colpa per aver assorbito una parte così grande delle cure materne e, come risarcimento, riservare attenzioni supplementari al figlio maggiore, che rappresenta il fratello o la sorella che sentono di aver privato di qualcosa. Come il primogenito, anche la madre può vivere come un'invasione l'arrivo di questa nuova creatura esigente, che occupa tanto del suo tempo. Oppure può sentirsi molto vicina al neonato, quasi lo fosse lei stessa, ed essere infastidita dalle richieste del maggiore. Tutti questi pensieri e questi sentimenti influenzano le sue reazioni. Anche in questo caso è importante osservare il bambino, cercare di capire il suo punto di vista e aiutarlo a superare le sue difficoltà, senza presupporre che siano uguali alle vostre. In questo frangente l'aiuto del partner o della madre, degli amici e di altre persone disponibili è essenziale. È molto difficile gestire da sole queste esigenze primitive e conflittuali senza lasciarsene sopraffare.

In questa circostanza lo scopo ultimo dei limiti che vengono fissati è di assicurare che ciascuno abbia il posto che gli spetta in famiglia e di far sì che tutte le emozioni contrastanti possano esprimersi, senza essere tradotte in azioni. La distruttività non è utile a nessuno. Insegnando al bambino a trovare un posto per gli altri nella sua vita lo prepariamo a condividere le cose anche in contesti diversi, soprattutto nella fase sucessiva dell'inizio della scuola.

Quando è particolarmente difficile dire no

Alcuni genitori hanno molta difficoltà a dire no. Le famiglie che hanno avuto problemi di fertilità, o in cui ci sono bambini adottati, affidati o handicappati rappresentano dei casi particolari.

Può essere molto difficile trattare con fermezza un bambino che si è atteso per anni. Nel lungo periodo dei tentativi e delle continue delusioni si costruisce un'immagine del bambino desiderato, che può offuscare quella del bambino reale che alla fine arriva e renderci ciechi, oppure troppo sensibili, ai suoi lati negativi. In entrambi i casi è probabile che la nostra reazione risulti parzialmente falsata. È importante fare in modo che l'esperienza del bambino sia il più possibile normale. *Lui* non ha aspettato anni per stare con voi e non fa parte della storia che ve lo fa vedere in una luce speciale.

Quando si adotta un bambino si eredita un passato ignoto. Anche se si è in grado di ricostruirlo, o se si adotta un neonato, alcuni aspetti della sua personalità rimarranno per sempre un mistero. Per il bambino è utile sentire che entra in una casa in cui ci sono regole chiare, dove c'è dunque una struttura di supporto capace di controbilanciare gli eventuali strascichi del suo passato. Un vostro atteggiamento fermo, inoltre, dà al bambino un senso di appartenenza, confermandogli che adesso fa parte della *vostra* famiglia.

Se sapete che il bambino ha avuto una storia traumatica, dovete essere convinte che sia possibile porvi rimedio. Un bambino si aspetta di avere lo stesso trattamento ricevuto in passato e spesso si comporta con voi come se foste simili alle persone con cui viveva in precedenza. È noto che i bambini che sono stati deprivati o hanno subito violenze sono difficili da accudire. Il loro comportamento ricorda, ma amplificato, quello del piccolo Jack dell'inizio di questo capitolo. Oppure, come Paul, possono spingervi ai limiti della capacità di sopportazione. La separazione sarà un momento particolarmente straziante. Quando un bambino ha sofferto, è naturale cercare di evitargli ulteriori sofferenze. Per questi bambini è importante ricevere attenzioni incondizionate, ma è essenziale anche ricordare che cura non equivale a indulgenza. Hanno disperatamente bisogno di un adulto che sia pronto a sopportare con calma e fermezza le loro resistenze e la loro furia. È di grande aiuto per loro sentirsi dire no al momento giusto.

Se avete un figlio con qualche forma di handicap, probabilmente sarete molto combattute quando si tratta di stabilire dei limiti. Vi sembreranno delle imposizioni crudeli, troppo severe e ingestibili. Anche qui, come sempre, la prima cosa da fare è osservare il bambino e vedere cosa è in grado di affrontare. Se lo trattate come se lo consideraste troppo fragile per sentirsi dire "no", rinforzate gli aspetti carenti della sua personalità. Se lo spronate, invece, gli infondete la speranza, la fiducia di potercela fare. Naturalmente deve trattarsi di richieste realistiche, altrimenti generano disperazione. Soprattutto nei primi anni, uno dei modi di scoprire le abilità di qualsiasi bambino è quello di procedere per tentativi ed errori. Non bisogna balzare subito a conclusioni premature sulla presenza di un handicap, senza dare al bambino almeno un'opportunità.

Sam, un bimbo di quattro anni, osservava gli amici che cercavano di saltare su un piede solo. Lui era seduto e ballava su e giù sulla sedia. La madre soffriva moltissimo a vederlo eccitato per un movimento che non era in grado di fare. Il bambino fece capire che voleva partecipare al gioco. La donna era incerta se lasciarlo provare, pur sapendo in anticipo che avrebbe fallito, o risparmiargli il prevedibile dispiacere distraendolo con un'altra attività. Ma il bambino sembrava così entusiasta del gioco, che la madre decise di metterlo per terra e di aiutarlo a saltare. Con il suo aiuto il bambino tese le gambe e, tenendosi alle sue mani, sollevò il piede sinistro. Era elettrizzato da questo successo, ed era contenta anche la madre. Era soddisfatto di aver partecipato al gioco degli amici e sentiva che i suoi sforzi erano stati premiati.

In questo esempio la madre fu pronta ad affrontare il dispiacere che il figlio non possedesse le stesse abilità degli altri, pur di lasciargli fare un'esperienza; si rese conto che, anche se non era agile come i compagni, aveva determinazione e forza di volontà ben maggiori.

Con i bambini handicappati si cede spesso alla tentazione, comprensibilissima, di imbottirli di nozioni nei primi anni, per paura che lo sviluppo possa arrestarsi improvvisamente. Sappiamo che le aspettative elevate possono dare speranza e energia. Ma è importante anche vedere il bambino nella sua interezza. Può darsi che dobbiate dire no al vostro desiderio di vincere a tutti i costi l'handicap. Se agite solo in funzione dell'handicap, perdete di vista l'individuo. Sam ha un handicap, ma non è solo un bambino handicappato. È anche Sam, con la sua personalità. Abbiamo visto che i bambini si fanno un'idea di chi sono guardando noi e vedendosi riflessi nei nostri occhi. Nella nostra interazione con i bambini handicappati questo è di grandissima importanza. È inevitabile che ci siano il dispiacere e il dolore, che ci sia il lutto per aver perso il bambino che avevamo sognato. Ma abbiamo anche il dovere di creare uno spazio per il bambino che abbiamo, di considerarlo nella sua globalità, non limitandoci a vedere il suo handicap. Risulterà così più facile applicare tutti i principi di cui abbiamo parlato in questo capitolo, dire no e stabilire dei limiti, aiutando il bambino ad avere una vita normale.

Il bisogno di aiuto e di appoggio

Come abbiamo visto, i bambini al di sotto dei cinque anni sono esseri fieri e appassionati. Oscillano da un estremo all'altro, sia nel comportamento sia nelle percezioni. È difficile gestirli senza un aiuto. La madre o la persona che se ne occupa avrà bisogno del supporto di qualcuno che contribuisca a diluire l'intensità del rapporto, la aiuti a sostenerne il peso e a riflettere su ciò che sta accadendo. È difficile resistere da soli a un uragano. Spesso i bambini vi trascinano a comportarvi come loro; è utile che qualcuno rimanga a un livello adulto.

È anche l'età in cui un bambino diventa consapevole dell'esistenza di una gerarchia nella famiglia e del posto che lui stesso occupa al suo interno. Rendersi conto di non essere un compagno dei genitori, ma un figlio, è un sollievo per lui, anche se a volte se ne lamenta. La forza della coppia costituirà per lui una base sicura. Non è necessario, anche se è quello che normalmente avviene, che la coppia sia formata dai due genitori del bambino: può essere costituita da due adulti che non sono i genitori e che, insieme, si prendono cura di lui. A volte l'altra metà può essere rappresentata addirittura da qualcuno che viene assunto per occuparsene. Il fatto di far parte di un triangolo, e non più della coppia intima madre-figlio, è un primo passo che prepara l'ingresso nel mondo esterno. Il bambino deve imparare a stabilire più rapporti e capire che ne esistono che non sono centrati su di lui. Sarà così più aperto alla possibilità che in futuro entrino nel suo mondo altri "bambini", che possono essere dei fratellini reali o dei progetti, delle attività e degli argomenti che appassionano i genitori e dai quali lui è escluso. Sono tutti elementi piccoli, ma essenziali, di uno sviluppo sano.

Sommario

Una delle caratteristiche dell'età compresa fra i due e i cinque anni è che il mondo viene vissuto come qualcosa di magico. Fantasia e realtà non sono ancora ben separate e definite. La cerchia del bambino è come un microcosmo, tutto ruota intorno alla famiglia e a piccoli gruppi. I problemi che si presentano a lui e ai suoi genitori riguardano spesso il modo di affrontare i sentimenti intensi e la necessità che il bambino si adegui a certe norme di comportamento. I genitori sono ancora molto vicini e in complesso fungono da intermediari fra il figlio e il mondo esterno. Questa intimità li aiuta a capirlo, ma a volte fa sì che le percezioni del bambino e dei genitori si confondano. Bisogna districare il groviglio, prestando attenzione alle comunicazioni del bambino e non presupponendo che sia uguale a voi. Dicendo no, fissando dei limiti, gli forniamo un modello che lo aiuterà a cavarsela quando si sente sopraffatto; sarà sicuro del suo posto in famiglia e comincerà a sviluppare le proprie risorse.

Questo sviluppo può comportare dei momenti dolorosi sia per il genitore che per il figlio, che però verranno abbondantemente ricompensati. Negli anni successivi il bambino continuerà a progredire, spesso per conto proprio. Quello che gli servirà allora non sarà la presenza costante dei genitori, ma ciò che è riuscito ad assorbire della sua esperienza, ciò che, di quanto gli è stato offerto, conserva dentro di sé.

Un ultimo brano tratto dal *Piccolo principe*:

Così il piccolo principe addomesticò la volpe. E quando l'ora della partenza fu vicina:
"Ah!" disse la volpe, "... piangerò".
"La colpa è tua," dise il piccolo principe, "io non ti volevo far del male, ma tu hai voluto che ti addomesticassi..."
"È vero," disse la volpe.
"Ma piangerai!" disse il piccolo principe.
"È certo," disse la volpe.
"Ma allora che ci guadagni?"
"Ci guadagno," disse la volpe, "il colore del grano."

3.

Gli anni della scuola primaria

> Bene. Oggi è il primo giorno di scuola, per
> voi [...] la direttrice è la signorina Spezzin-
> due. Sappiate che tiene molto alla disciplina
> – la massima disciplina – e se volete un con-
> siglio fareste bene a comportarvi come si de-
> ve, in sua presenza. Non discutete con lei.
> Non rispondetele male. Fate quello che vi di-
> ce. Se non la prendete per il verso giusto, po-
> trebbe spremervi come una carota in una
> centrifuga.
>
> ROALD DAHL, *Matilda*

Un mondo tutto nuovo

Verso i cinque anni, tutti i bambini vivono la transizione dalla propria casa alla scuola. I più avranno frequentato la scuola
materna, altri saranno rimasti a casa con la madre o con il padre, altri ancora saranno stati affidati alle cure dei nonni o di una
baby sitter. Qualunque sia stata l'esperienza precedente, quella
della scuola è del tutto nuova. Le aspettative aumentano e sono
diverse da quelle di prima; i bambini dovranno adattarsi alle regole valide per la maggioranza, che possono non essere in armonia con i loro bisogni individuali. L'attenzione si sposta dal-
l'acquisizione di abilità prevalentemente sociali all'acquisizione
di abilità che riguardano la sfera educativa. In questa fase i bambini devono imparare una quantità enorme di cose. Balza in primo piano il rapporto con le regole, i regolamenti, l'educazione:
tutte aree che hanno a che fare con i limiti. Il modo in cui reagiscono al "no" determinerà la loro capacità di inserirsi, di farsi degli amici e di imparare.

Quando un bambino comincia la scuola "vera e propria", ci
si preoccupa soprattutto di come si troverà con l'insegnante e nel
gruppo, ci si chiede se sarà all'altezza delle richieste che gli verranno fatte. Nel capitolo 2 abbiamo preso in considerazione i
problemi che possono sorgere nel momento della separazione; è
facile che si ripresentino con l'inizio della scuola. Il bambino può
essere spaventato dalla prospettiva di una lunga giornata lontano dai genitori, si può sentire perso in una folla senza la sicurezza di una madre o di un padre che fungono da intermediari e

sorvegliano i suoi contatti con gli altri. Può essere insicuro del suo rapporto con l'insegnante: è una specie di genitore o è come una zia, una poliziotta, una persona che lo aiuta? Può sentirsi in parte un bambino grande, che va alla scuola dei grandi, e al tempo stesso piccolo, insicuro di come comportarsi, di cosa ci si aspetta da lui.

È un periodo di grande eccitazione, ma anche di preoccupazione. Come abbiamo visto per i neonati, non c'è solo uno svezzamento "da" qualcosa, ma anche uno svezzamento "verso" qualcosa. La maggior parte dei bambini affrontano con facilità l'inizio della scuola e assumono con gioia la loro nuova identità di scolari. Amano i simboli del nuovo *status*: l'uniforme se ce n'è una, l'astuccio, il diario, il sussidiario e così via. Mio nipote volle portarsi a letto lo zaino per tutta la prima settimana di scuola!

I genitori possono non affrontare con altrettanto entusiasmo l'esperienza. In complesso, tendono a essere piuttosto ansiosi. Alcuni dei loro timori nascono da una preoccupazione realistica per i figli e per il loro impatto con il nuovo ambiente. Altri saranno probabilmente legati ai loro stessi ricordi di scuola e alle emozioni risvegliate, in generale, dal cambiamento e dalla separazione. In fondo stanno affidando il figlio, per la maggior parte della giornata, a persone che contribuiranno a farne la persona che diventerà.

Quando mia figlia minore cominciò la scuola elementare, un gruppo di noi mamme si incontrò, con i figli, il giorno prima dell'inizio della scuola, in modo che i bambini potessero conoscersi, fare amicizia e ritrovare in classe almeno alcune facce familiari. Pensavamo anche che fosse utile conoscerci un po' fra noi. L'idea era di cercare di rendere più facile qualcosa che ci pareva potenzialmente difficile. Ci incontrammo; i bambini sparirono subito e giocarono allegramente, intanto che noi chiacchieravamo. Come era logico aspettarsi, passammo quasi subito ai ricordi del primo giorno di scuola nostro o dei figli più grandi. Mi colpì il fatto che ci mettessimo parlare ben presto di separazioni dolorose, e poi di ricoveri in ospedale e di ricordi tristi. Mentre i bambini riuscivano a godere della compagnia reciproca ed erano elettrizzati all'idea di conoscere persone nuove, noi adulte sembravamo preoccupate da pensieri spaventosi e disturbanti. Ce ne rendemmo conto, e questo ci fece capire quanto fosse duro per noi lasciare i nostri piccoli, e quanto eravamo preoccupate che tutto andasse bene. Eravamo anche molto sorprese dalla natura estrema degli eventi che ci venivano in mente. Nessuna di noi si era resa conto di essere così ansiosa.

Un altro aspetto interessante di questa riunione fu il desiderio espresso da una di noi di cambiare nome, da Glynis a Gina.

Il suo nome non le era mai piaciuto e questa le sembrava un'ottima occasione per inaugurarne uno nuovo, in un gruppo di persone che non la conosceva. Questo evidenzia, mi pare, come ogni cambiamento schiuda nuove possibilità. Tutti possiamo ricominciare da capo con degli estranei; non siamo legati a ciò che gli altri sanno di noi. I bambini vengono visti, potremmo dire, senza la loro storia, e sta a loro fare una certa impressione sugli insegnanti e sui compagni. Per un bambino che non sta bene in famiglia, che ha dei rapporti difficili in casa, si apre la possibilità di crearsi un'immagine nuova, più positiva. Billy, il discolo da cui ci si aspetta sempre un comportamento sciocco, può scoprire di saper essere serio. Una bimba tranquilla come Gemma può accorgersi che le piace l'eccitazione della compagnia e diventare molto vivace quando gioca con i compagni. Questo incontro tra mamme, insomma, fece emergere come ogni nuova situazione, pur potendo provocare ansia, schiuda anche nuove opportunità.

Tutti questi sentimenti determinano il modo in cui presentiamo la scuola ai nostri figli e influenzeranno le nostre prese di posizione rispetto al comportamento del bambino e a ciò che ci viene riferito riguardo alla scuola.

Regole a scuola e a casa

Fino ad ora il bambino ha avuto una cerchia relativamente piccola di persone con cui confrontarsi; si è abituato a loro e al loro modo di fare. Ha familiarità con certe aspettative e con certi compiti. Probabilmente sa già un po' leggere e ha qualche nozione elementare di aritmetica. Se la cava abbastanza bene nei piccoli gruppi. Ma con l'ingresso nella scuola primaria le aspettative hanno un'impennata. Benché ormai molte scuole considerino il primo anno un periodo di accoglienza, in cui si presta grande attenzione alla fase di transizione, per la maggior parte dei bambini il cambiamento è piuttosto drammatico. Perfino una regola semplice come quella di mettersi in fila per uscire durante l'intervallo può provocare disagio. C'è sempre qualcuno che vuole essere il primo della fila, quindi le gomitate e gli spintoni sono inevitabili. Entra in gioco tutto il problema del posto che si occupa in una gerarchia, dell'ordine di beccata. Una volta in cortile, si possono svolgere molti drammi. I bambini sono stati seduti tranquilli durante le lezioni e adesso hanno bisogno di sfogarsi. Ci si può sentire molto soli se non si fa parte della banda, e per alcuni è difficilissimo superare la timidezza. Jane non ha problemi a unirsi al gioco delle belle statuine, che le sembra così entusiasmante, mentre Craig non riesce a inserirsi se non viene espressamente invitato. Magari aspetterà per tutto l'intervallo, mentre gli altri non si accorgono nemmeno che è solo. Prima, probabilmente, un adulto avrebbe notato Craig e avrebbe cercato di coinvolgerlo. Ma a scuola i singoli sono meno visibili. È il gruppo che conta.

Il bambino deve acquistare più fiducia in se stesso e anche un maggiore autocontrollo. Alla scuola materna è facile che si svolgano più attività contemporaneamente e di conseguenza c'è parecchio rumore. I bambini hanno una certa libertà di movimento, possono passare dalla pittura al Lego, poi essere divisi in piccoli gruppi per il momento della lettura. Spesso, mentre lavorano, canticchiano fra sé e sé e si dimenano sulla sedia. Adesso, in classe, devono stare seduti relativamente zitti e fermi, ascoltare e concentrarsi. Non è cosa da poco. È facile dimenticare quante energie ci vogliono per adeguarsi a questa nuova situazione.

In primo piano c'è la questione delle regole. Alcune vengono comunicate esplicitamente e a chiare lettere, come quella di non correre nei corridoi. Altre possono essere implicite e più difficili da afferrare per un bambino. Per esempio gli è consentito parlare con il vicino di banco, ma viene sgridato se chiama un compagno che sta dall'altra parte dell'aula. Magari era abituato a usare i pennelli o il materiale che trovava in giro, ma adesso ogni bambino ha il proprio e deve ricordarsi di portarlo e di averne cura. Ai bambini più piccoli viene detto cosa devono e cosa non devono fare, mentre ci si aspetta che il bambino in età scolare eserciti una buona dose di autodisciplina. Deve aver capito quali sono i limiti e deve saperli rispettare autonomamente.

Scopo principale della scuola è l'apprendimento. Il bambino deve rivolgere la sua attenzione e le sue energie a un'attività specifica. L'esperienza passata avrà una grande influenza sul modo in cui risponde a questa aspettativa. La psicologa e pedagogista Eva Holmes, che ha condotto una ricerca su alcuni bambini molto deprivati che si trovavano in un istituto come residenti o come ospiti giornalieri, scrive:

> È molto probabile che la maggior parte dei bambini della prima classe delle elementari, cresciuti in casa, pensino che il loro insegnante, "il mio maestro", sia interessato personalmente a loro e che quando si rivolge alla classe stia parlando a loro di persona; probabilmente la presenza di altri bambini è piuttosto irrilevante. I bambini cresciuti prevalentemente in gruppo partono dal punto di vista opposto; è probabile che quello che stanno dicendo gli adulti non sia riferito personalmente a loro e può essere ignorato.

All'inizio, per poter imparare in una situazione di gruppo, il bambino deve sentire di avere un rapporto con l'insegnante. Deve avere l'impressione che gliene importi di lui, proprio come succede a casa con i genitori. Gli insegnanti del primo anno di elementari raccontano che spesso devono dare retta anche a più di dieci bambini contemporaneamente, che vogliono rispondere o dire la loro su un argomento. È un'arte da giocoliere quella di fare in modo che tutti si sentano ascoltati, senza schiacciare quelli che devono aspettare il proprio turno e notando anche quelli che non si fanno avanti. D'altra parte il bambino che ha la mano alzata e non viene chiamato può avere l'impressione di non essere visto. È come se, dopo essere stato fino a questo momento la cosa più preziosa per i genitori, improvvisamente diventasse invisibile. Il bambino può vivere forti conflitti interiori, si può sentire simultaneamente spinto ad andare avanti e a regredire.

Non trattarmi come un bambino piccolo

Nei primi anni di vita e all'inizio della scuola i bambini si preoccupano molto delle regole. C'è al tempo stesso il bisogno di seguirle e la riluttanza a farlo. I bambini continuano a chiedere "Posso...", spesso con grande irritazione dei genitori, convinti che ormai dovrebbero sapere cosa possono fare, soprattutto se sono a casa e chiedono per esempio di andare in bagno. Sembra quasi che chiedano perché hanno bisogno di sentirsi dare il permesso, di sapere che stanno rispettando una regola. È una richiesta di struttura. È anche un modo di gestire i due diversi ambiti della casa e della scuola, scherzando su quello che si può fare nell'uno e nell'altro. Spesso la mamma viene chiamata maestra, e viceversa.

Durante la giornata scolastica i bambini devono ascoltare l'insegnante, tenere un certo comportamento, rispettare più regole di quelle che ci sono a casa e inserirsi nel gruppo. Possono riuscirci e tornare a casa sentendosi molto indipendenti e giustamente orgogliosi del loro successo. Se a casa la cosa non viene capita e vengono trattati esattamente come prima, avranno l'impressione che il loro "diventare grandi", ancora molto precario, sia sminuito. Spesso si ribelleranno. "Non trattarmi come un bambino piccolo!" è una protesta frequente negli anni della scuola primaria. Non vogliono più essere dei bebè, vogliono far parte del mondo dei più grandi. Ai loro occhi essere un bebè spesso significa essere sciocco, sporco e incapace di autocontrollo. Gli adulti rafforzano questa idea criticandoli con frasi del tipo: "Grande e grosso come sei, ti comporti ancora da bebè!" A volte però il bambino fa fatica a comportarsi da grande e il fatto di essere trattato come un bebè può compromettere i suoi sforzi di diventare più indipendente. In questi casi i genitori si devono trattenere, devono dire "no" a se stessi, all'abitudine di vedere il figlio come un individuo statico, a considerarlo ancora il bambino di casa, e riconoscere i suoi progressi.

Il bambino che a scuola ha avuto delle difficoltà e si è sforzato per tutto il giorno avrà magari voglia di ribellarsi alle regole di casa, dove sente di poterlo fare con più tranquillità. Oppure può essere stato molto "bravo" a scuola, e quando torna a casa mettersi a strillare, a scalciare e lasciarsi andare alla collera come un bambino piccolo. Alcuni bambini amano molto essere trattati da bebè quando tornano a casa, regrediscono e chiedono ai genitori servizietti di ogni genere, per esempio di tagliar loro il cibo nel piatto, e i genitori si domandano preoccupati se riusciranno mai a crescere.

È lo stesso bambino?

La maggior parte dei bambini hanno un comportamento molto diverso a casa e a scuola. Spesso un genitore stenta a credere che il bambino di cui gli stanno parlando sia proprio il figlio che lui conosce.

Peter, un bambino di cinque anni, all'uscita da scuola era sempre eccitato e teso. Nel tragitto da scuola a casa chiedeva da bere e da mangiare, evidentemente incapace di aspettare i dieci minuti necessari per arrivare a destinazione. Strillava, brontolava, piagnucolava e tirava per il braccio la madre. La madre, che dopo un'intera giornata aveva molta voglia di vederlo, si stancava presto di lui e si preoccupava del suo comportamento. Perché fa il bambino viziato? Se non riesce ad aspettare dieci minuti, come fa a resistere un giorno intero a scuola? Ha un comportamento difficile con gli insegnanti? Come prima strategia, cominciò a presentarsi all'uscita da scuola con la merenda. Per un po' la soluzione sembrò tranquillizzarlo, ma poi cominciò a essere disturbato da altre cose: reagiva con impazienza se la madre non capiva immediatamente quello che diceva o se non si dimostrava solidale quando le raccontava di un incidente avvenuto a scuola. Era di pessimo umore e sembrava sfinito; la madre aveva l'impressione che qualunque cosa facesse fosse sbagliata, o perlomeno mai del tutto giusta. A casa le cose non andavano meglio: Peter andava su tutte le furie, si buttava sul divano se gli rifiutavano qualcosa, picchiava, scalciava e alcune volte cercò perfino di mordere la mamma che, preoccupatissima, ne parlò alla maestra.

Venne a sapere che a scuola non c'erano problemi, Peter era molto studioso e beneducato, ascoltava e si concentrava e durante l'intervallo giocava con i compagni. Si stancava facilmente, ma a parte questo non dava nessun problema.

Quando la madre me ne parlò, era evidente che stentava a credere che si trattasse sempre dello stesso Peter. In realtà quello della scuola assomigliava di più al Peter che conosceva. Aveva la terribile sensazione di aver perso il *suo* Peter, il bambino con cui aveva trascorso tanto tempo giocando, andando al parco, dipingendo e vedendo gli amici. A volte gli chiedeva: "Dov'è andato il mio Peter?" come fanno spesso i genitori quando sentono che i figli stanno cambiando.

Per capire cosa stava succedendo fra loro cercammo di immedesimarci nel bambino. Non era solo lei a sentire la mancanza di lui e della loro intimità, anche Peter, probabilmente, si sentiva perso. La mamma che era sempre lì quando lui si faceva male, quando qualcuno gli dava fastidio o quando aveva qualcosa da chiedere, non era con lui a scuola. La scuola però gli piaceva, gli piaceva incontrare gli amici ed essere più spesso in compagnia di un nuovo gruppo di pari. Sembrava che fosse in grado di reggere durante la giornata scolastica, in parte perché si divertiva e in parte perché voleva essere bravo e riuscire. L'esperienza positiva vissuta a casa, inoltre, gli dava un approccio ottimistico nei confronti degli insegnanti, quindi in complesso a scuola era contento. Ma alla fine della giornata era esausto e più vulnerabile. Il fatto di vedere la madre, inoltre, gli faceva tornare in mente quanto gli era mancata e gli faceva sentire la fatica della giornata, di cui in parte la riteneva responsabile. Come poteva fargli subire tutto questo? Al momento dell'incontro questi sentimenti venivano in primo piano e si sfogavano in un tumulto di emozioni. Sembrava quasi che la parte indipendente del bambino di cinque anni riuscisse a gestire la scuola; ma quella che tornava a casa era la parte più dipendente e infantile (il bebè affamato). Questa frattura permane spesso per tutta la scuola primaria, e anzi ricorre per tutta la vita in periodi di particolare tensione o nei momenti di transizione.

Cosa si poteva fare per aiutare Peter e la madre? Il primo punto era controllare la situazione scolastica di Peter. La preoccupazione che un bambino ci metta in cattiva luce può interferire con la nostra sensibilità ai suoi problemi. Stabilimmo dunque che Peter andava volentieri a scuola ed era ben inserito ed escludemmo la preoccupazione iniziale della madre per il suo comportamento scolastico. Passata la prima reazione di sollievo, il fatto che fuori casa il bambino fosse felice suscitò nella madre un più forte senso di perdita e un sentimento di gelosia nei confronti della maestra, che Peter apprezzava e a cui sembrava molto affezionato. Temeva di veder scalzata l'immagine che aveva di sé, di madre attenta che provvede ai bisogni del suo bambino; si sentiva soppiantata da un'altra figura, e questo le rendeva ancora più difficile affrontare il problema. Cercammo di analizzare cosa aiuta i bambini a trovarsi bene a scuola e a stabilire un buon rapporto con gli insegnanti. Dalla storia di Peter e da come la madre interagiva con lui emergeva chiaramente che aveva avuto una base molto solida a casa. Le feci notare che proprio questo gli permetteva di andare a scuola fiducioso, sicuro che vi avrebbe trovato persone pronte ad aiutarlo. Il suo buon rapporto con la madre era uno dei fattori che gli consentivano di avere un buon rapporto con l'insegnante. La consapevolezza di avergli fornito gli strumenti per cavarsela senza di lei la fece sentire più in pace con se stessa. Il quadro della situazione si era rovesciato: prima si sentiva rifiutata, adesso sapeva che lo stava aiutando a crescere. Quando riuscimmo ad analizzare il senso di perdita dell'altro che entrambi provavano, tornò a vedere se stessa come una persona buona di cui si sente la mancanza. Questo la rese più disponibile a capire Peter, che si sentiva offeso e deluso. La vita quotidiana era cambiata per entrambi, e capimmo che un cambiamento e uno sviluppo dovevano aver luogo anche nel loro rapporto. Era vero, avevano perso qualcosa, ma avevano anche l'opportunità di acquisire qualcosa di nuovo.

Districando i sentimenti dell'uno da quelli dell'altra e spiegando cosa poteva essere successo, le cose migliorarono. Peter continuava a uscire da scuola immusonito, ma la madre era preparata e affrontava la stanchezza e la fame del figlio facendogli capire che la mamma era lì per lui, malgrado i suoi sgarbi e tutto il resto. Riuscì a sentirsi meno criticata e impotente. La pazienza della mamma e la sua capacità di reagire resero più forte il bambino, che con il passare del tempo cominciò a stancarsi meno e imparò ad amministrarsi meglio a scuola, si rilassò e smise di fare sforzi giganteschi per non lasciarsi andare.

Emerge chiaramente da questa storia che a volte le preoccupazioni, una separazione, la sensazione di essere rifiutati provocano tanta sofferenza da impedirci di capire il vissuto dell'altro. Le due persone vengono prese in un circolo di insoddisfazione e di reciproche accuse e paradossalmente si allontanano sempre più, proprio mentre piangono la perdita della loro intimità.

Dicendo no, stabilendo dei limiti, ci proponiamo fra l'altro di promuovere la crescita e lo sviluppo. Quindi dobbiamo essere capaci di adattarci al cambiamento, quando si verifica. Non sempre però il cambiamento assume una forma che ci aspettiamo o che ci aggrada, e allora dobbiamo imparare a trattenerci, a dire no a noi stessi e all'istinto di imporre a nostro figlio il nostro approccio e il nostro modo di vedere. Dobbiamo accettare che il bambino abbia un proprio modo di integrare ciò che incontra sulla sua strada.

Può essere molto faticoso accettare i suoi aspetti apparentemente contraddittori. Non è facile conciliare il bambino di sei anni che si mostra a volte così sereno con il bebè capriccioso in cui a volte può trasformarsi.

Clare, che aveva appena compiuto cinque anni, era in vacanza in Italia con i genitori e con il fratello e la sorella maggiori. Visitavano musei, mangiavano al ristorante, erano sempre in giro. I genitori erano impressionati dal fatto che la bimba fosse così attenta e partecipe. L'unico problema era che li assillava con continue richieste di prendersi cura del nuovo pupazzo di Topolino che le era appena stato regalato. Dovevano trovare una sedia per Topolino al caffè, accertarsi che fosse contento, spiegargli cosa veniva detto nella lingua straniera e così via. Se non si trovava più la copertina di Topolino, si scatenava il panico. Tutta la famiglia cominciava a non poterne più delle richieste di Clare per conto di Topolino; avevano voglia di urlare "Per amor del cielo, è solo un giocattolo!" Solo quando lessero la sua preoccupazione per il benessere di Topolino come un segno del fatto che lei stessa era molto confusa – lontana da casa, dal suo lettino, dalle sue abitudini – la loro irritazione diminuì. Riuscirono a comprendere lo spaesamento che la bambina non aveva saputo esprimere direttamente. Quando si resero conto che, provvedendo ai bisogni di Topolino, era in realtà di Clare che si stavano occupando, la vita divenne più facile per tutti.

Negli anni della scuola primaria i bambini oscillano dall'autonomia alla dipendenza, da un atteggiamento ragionevole alle crisi di collera, dalla fiducia in sé a un grande senso di insicurezza. Non è facile trovare l'equilibrio fra la necessità di appoggiarli nella loro ricerca di indipendenza e l'esigenza di non dimenticare quanto hanno bisogno di noi, senza però dar loro l'impressione di essere trattati da bambini piccoli. È importante quando e come diciamo il nostro "no". Possiamo far sentire il bambino sminuito e umiliato, oppure protetto e al sicuro. La mia tesi, in questo libro, è che i "no" aiutino a costruire e non a distruggere; ma a questo scopo è importante riflettere sulla prospettiva del bambino, considerare l'impatto di un "no" sulla sua fiducia in se stesso, che è in una delicata fase di sviluppo.

Ragione e logica

I francesi dicono che a sette anni i bambini raggiungono *l'age de raison*, l'età della ragione, e che da quel momento in poi sono in grado di agire in maniera razionale e consapevole. E infatti capita di vedere bambini di quell'età che discutono e sostengono il proprio punto di vista. Vanno orgogliosi della propria capacità logica e non sopportano di venir considerati degli esseri irrazionali, guidati dalle emozioni. È importante, per rafforzare la personalità indipendente che sta emergendo, che questo bisogno, legato a una fase di sviluppo, venga riconosciuto. Esiste tuttavia una frattura fra il lato razionale e quello più infantile e passionale. Mia figlia Holly all'età di cinque anni ebbe un tremendo litigio con Sassy, la sua migliore amica, sulle origini del mondo. Sassy sosteneva che Dio aveva creato l'universo, mentre Holly sosteneva con ebbe incrollabile che tutto andava ricondotto al Big Bang. Erano molto arrabbiate l'una con l'altra, come se, più che l'effettiva risposta sulle origini dell'uomo, fosse in gioco la loro posizione di "persona che sa le cose".

Succede spesso di sentire dei bambini piuttosto piccoli discutere di argomenti seri di cui probabilmente hanno scarsa conoscenza, ma che per loro contano perché li fanno sentire partecipi del mondo del pensiero e del linguaggio. Un'altra cosa a cui tengono molto è essere presi sul serio e poter avere fiducia in voi. A volte portano a sostegno delle loro tesi argomenti che non sono privi di logica. Joanne, una bambina di sei anni, sosteneva che nel Regno Unito non esistono elefanti. Quando i compagni le dissero che ne avevano visti alcuni allo zoo, rifiutò di crederci. Mi venne chiesto di fare da arbitro: cercai di spiegar loro gentilmente che gli elefanti non sono originari dell'Inghilterra, ma che ce n'erano alcuni allo zoo. In questo modo avevano tutti ragione, sia Joanne che gli altri, a seconda di come consideravano la cosa. Ma per Joanne non era ancora abbastanza e, come ultima risorsa, affermò di essere certa di avere ragione perché gliel'aveva detto la parrucchiera della mamma. Le chiesi stupita come mai considerasse la parrucchiera un'autorità in materia di elefanti. Rispose: "Sa più cose di te perché è più vecchia". Prima o poi a un bambino viene detto che i grandi sanno più cose; la presa di posizione della bambina, dunque, non era priva di logica.

In questo periodo assumono grande importanza valori come la lealtà, la giustizia, la ragione e il torto. Rifiutando gli aspetti infantili, le parti emotive e turbolente della propria personalità, il bambino dà molto peso alla propria capacità di ragionare e di discutere. Di conseguenza può percepire un disaccordo come un attacco alla sua integrità. Può essere davvero sconvolto se si sente incompreso, come se fosse in questione la natura stessa della sua persona. È un'epoca in cui i bambini stanno imparando a rapportarsi agli altri e stanno sviluppando una coscienza. In complesso desiderano disperatamente essere "bravi" e possono essere molto rigidi con se stessi e con gli altri se si dimostrano "cattivi". Bruno Bettelheim spiega come, inconsciamente, rinforziamo questa frattura:

> C'è un diffuso rifiuto a permettere al bambino di sapere che gran parte degli inconvenienti della vita sono dovuti alla nostra stessa natura: alla propensione di tutti gli uomini ad agire in modo aggressivo, asociale, egoistico, spinti dall'ira e dall'ansia. Noi vogliamo invece far credere ai nostri bambini che tutti gli uomini sono intrinsecamente buoni; ma i bambini sanno che loro stessi non sono buoni, e spesso, anche quando lo sono, preferirebbero non esserlo. Ciò contraddice quanto viene loro detto dai genitori, e quindi rende il bambino un mostro ai suoi stessi occhi.

Di conseguenza i litigi, a questa età, assumono una forte carica emotiva; spesso non riguardano solo l'argomento in questione, ma sembrano mettere in discussione l'identità stessa del bambino. Bisogna ricordarlo quando si discute con lui: quando viene contraddetto, riesce a circoscrivere la critica a un momento specifico o la vive come un giudizio sulla sua persona? E analogamente, quando il suo comportamento vi manda su tutte le furie, la vostra reazione è circoscritta a quel particolare momento o diventate ansiose e mettete in discussione tutta la sua persona?

I conflitti

I conflitti spesso riguardano gli orari dei pranzi e del sonno, quanta tv guardare, i compiti, i preparativi per uscire la mattina, i confronti con fratelli e amici. Vediamo alcuni esempi, considerandoli dal punto di vista del genitore e del bambino e cercando di capire come si possano individuare e affrontare la difficoltà. Tutte queste interazioni avvengono all'interno di un rapporto: ciascuna delle due parti porta il proprio contributo, che ha un impatto sull'altro. È inevitabile quindi che a volte sia necessario dire no al bambino, altre a noi stessi.

Rivalità tra fratelli

Con l'inizio della scuola, il bambino non trascorre più la maggior parte del suo tempo a casa, in un mondo definito soprattutto dalla famiglia, ma si deve inserire in un gruppo più ampio. Come fa a trovare il suo posto? Diventa subito un piccolo capo, attirando e eccitando gli altri con le sue monellerie? Fa il bullo per sentirsi meno spaventato lui stesso? È il piccolo di casa, e pensa che anche a scuola dovrà sgomitare per conquistarsi un suo spazio? Sta in disparte e osserva gli altri, senza partecipare attivamente? Fa fatica a tenere il passo e viene lasciato un po' indietro? Le reazioni possono essere tante quanti sono i bambini. Come genitori abbiamo il compito importantissimo di aiutarli a gestire questa transizione.

A volte i problemi scolastici sono un riflesso di ciò che accade a casa. A scuola, i bambini riproducono le battaglie che combattono con i fratelli fra le mura domestiche. E, viceversa, la casa può essere il terreno sul quale vengono riprodotti ed elaborati i conflitti scolastici. Il rapporto del bambino con i suoi fratelli e sorelle può diventare molto intenso, e la rivalità più pronunciata. Nel capitolo 2 abbiamo visto che i bambini piccoli fanno fatica ad abituarsi a un nuovo fratellino, o a trovare il proprio posto in una famiglia in cui ci sono già altri fratelli. Questo sforzo continua nelle varie fasce di età. Nella scuola elementare il problema del proprio posto nel gruppo risveglia i sensi di insicurezza del bambino, e la cosa può avere ripercussioni a casa. I genitori possono essere accusati di favoritismo, criticati perché preferiscono il fratello o la sorella maggiore o minore. Di fronte a queste accuse può essere utile ricordare che il bambino deve inserirsi in un'altra situazione e probabilmente sta cercando da voi la conferma che, almeno qui, il suo posto è sicuro.

George, di otto anni, è il secondo di tre fratelli. La madre passa molto tempo con la sorellina di tre anni, mentre il fratello maggiore, che ha tredici anni, nei fine settimana esce con gli amici. George si sente molto escluso e intraprende grandi battaglie con la madre. Le dice che è ingiusta perché non gioca con lui, ma non lo lascia neanche uscire. È insoddisfatto e spesso picchia la sorellina o tormenta il fratello maggiore, non lasciandolo in pace.

Evidentemente George è convinto che i fratelli abbiano speciali privilegi, mentre lui non ne ha nessuno. È un periodo difficile per lui: è troppo grande per aver bisogno di passare con la madre lo stesso tempo della sorellina, ma è anche troppo piccolo per poter uscire da solo con gli amici per lunghi periodi. La madre deve riuscire a fissare dei limiti che siano appropriati per lui. Probabilmente ha bisogno di avere alcuni dei privilegi della sorellina, e alcuni di quelli del fratello maggiore. Gli verranno anche imposte delle restrizioni specifiche.

Molti genitori e molti figli ritengono che equità significhi dare a tutti in ugual misura. È chiaro però che non sempre questo è possibile, e neanche opportuno. Il genitore ha il compito, ben più difficile, di scoprire cosa è giusto per ciascuno dei figli. Le soluzioni di compromesso che cercano di venire incontro ai desideri e ai bisogni di ciascuno, compresi i nostri, lasciando a volte tutti insoddisfatti, fanno parte della vita quotidiana.

È opportuno che il bambino si senta libero di esprimere le proprie rimostranze e sappia che verranno ascoltate. Questo non significa che otterrà automaticamente quello che chiede. Inoltre, non è bene che il bambino offenda o indebolisca continuamente i fratelli. La madre che impedisce al figlio di fare il prepotente o di prevalere in tutte le situazioni lo aiuta a tenere sotto controllo i suoi sentimenti di collera. Come abbiamo visto nel capitolo 2, il bambino a cui viene consentito di essere distruttivo si sente insicuro. È infelice perché pensa di essere cattivo e ha paura che, in caso di bisogno, nessuno lo protegga.

Questo vale anche quando il bambino adotta forme più raffinate di controllo delle situazioni, come nel caso del fratello o della sorella maggiori che vezzeggiano troppo la sorellina, trattandola come una bambola. Questo atteggiamento paternalistico può essere un modo di gestire l'aggressività. Può essere anche un modo di prendere le distanze dai propri sentimenti infantili, esagerando fino alla caricatura il ruolo di fratello grande. Si tratta di comportamenti che, in una certa misura, sono inevitabili. Ma, se dominano la vita del figlio minore, se la madre è incapace di intervenire, la cosa non farà bene a nessuno dei due figli. Soffoca il piccolo impedendogli di trovare le proprie ali e consente al maggiore di avere il sopravvento, di essere un tiranno. Un'altra dinamica comune è quella del bambino ossessionato dall'idea che gli altri abbiano cose che lui non ha.

Greg, un bambino di nove anni, mi fu inviato perché era molto distruttivo a scuola, si cacciava sempre nei guai molestando gli altri bambini e disturbando il loro lavoro. Nelle nostre sedute, era talmente curioso delle altre persone che venivano da me, da non riuscire quasi a pensare a nient'altro. Esaminava ogni angolo della stanza in cerca di tracce di altri bambini. Escogitava elaborati trabocchetti, con stringhe e plastilina, per controllare se nell'intervallo fra due nostri incontri veniva qualcuno. Mi assillava per avere informazioni sui miei pazienti. Conseguenze di questa ossessione erano un gioco molto ripetitivo e l'incapacità di pensare ad altro. Passava tutto il tempo affascinato da ciò che immaginava gli altri facessero o avessero e gli rimaneva poco spazio per pensare ad altri aspetti del suo mondo. Per un lungo periodo portò dei capolini di fiori, pieni di semi, che apriva ed esaminava. Pareva quasi sentisse che anch'io ero così, piena di semi, di altri bambini, che mi riempivano e non lasciavano spazio per lui. In realtà la sua idea fissa occupava tutta la seduta e il nostro spazio comune era davvero pieno di altre persone. Era difficile farlo sentire unico. Chiedeva sempre cosa facevano con me gli altri bambini, e ci volle molto tempo prima che riuscissimo a pensare insieme cosa avrebbe voluto fare *lui*.

Questi bambini, che non sono certi di avere un posto sicuro nei vostri pensieri, che hanno la sensazione che abbiate sempre la mente occupata da qualcun altro, entrano in competizione con gli altri bambini o cercano di liberarsene. Ne nascono problemi a scuola, come nel caso di Greg, che aggrediva i compagni. Un bambino come Greg può vivere un "no" come un rifiuto nei suoi confronti, a favore di qualcun altro. Era importante che io conservassi il mio interesse per lui e glielo dimostrassi esplicitamente. Dovevo dirgli a chiare lettere: "No, non ti dirò cosa fanno gli altri qui, ma mi interessa cosa pensi che potrebbero fare e mi interessa anche di più cosa piacerebbe fare a te". Era importantissimo anche che gli dimostrassi di capire quanto era terribile per lui non sapere, senza tuttavia aprire un varco nei confini che avevo posto rispetto agli altri bambini. Non parlandogliene, non rivelandogli chi erano e quali erano i loro problemi, facevo passare l'idea che anche il suo spazio con me era protetto. Gli spiegai che non gli avrei permesso di fare irruzione nel loro spazio, nemmeno sotto una pressione immensa, ma questo significava anche che nessuno di loro poteva penetrare nel suo. Pian piano si fece strada in lui l'idea di avere a disposizione uno spazio tutto per lui.

Non è la curiosità che induce Greg a fare domande, non è un desiderio di conoscere che, anzi, andrebbe incoraggiato. Il suo è un rovistare indiscreto e invadente in cerca di informazioni che potrebbe usare contro gli altri. Situazioni simili si presentano anche tra le mura domestiche, e dobbiamo imparare a preservare un po' di *privacy* per ciascun componente della famiglia. Non è necessario che tutti siano coinvolti in tutte le conversazioni. Imparare ad accettare questa limitazione è una grande conquista, e vedremo nel capitolo 4 com'è difficile nell'adolescenza.

Difendendo fermamente in famiglia la necessità di trattarsi l'un l'altro con rispetto, di non essere sempre sgradevoli e maleducati, si danno ai bambini gli strumenti per affrontare i sentimenti e i comportamenti difficili a scuola. Dicendo "No, non puoi comportarti in questo modo con me (o con tua sorella, o tuo fratello)", li induciamo a trovare altri modi di gestire la frustrazione e la collera. Il loro vocabolario emotivo ne risulta accresciuto, e questo li dovrebbe aiutare a trovare delle strategie appropriate quando devono affrontare la provocazione nel gruppo di pari. Nel capitolo 2 abbiamo visto quanto sia importante che un genitore mantenga il rispetto per se stesso e non si lasci maltrattare, anche perché così facendo, dimostrandosi convinto del proprio valore e di non meritarsi di essere trattato male, stabilisce un modello per il figlio, lo stimola a fare altrettanto. Se a scuola lo prendono in giro, lo escludono o lo infastidiscono, avrà un modello di come non essere vittima. Alcune persone, bambini e adulti, sembrano attirarsi la derisione e hanno sempre il ruolo di capro espiatorio. In questi primi anni i bambini possono acquisire un forte senso del proprio valore e imparare a non lasciarsi mettere i piedi in testa. Questo risultato non si raggiunge diventando a propria volta il più forte, facendo il prepotente, ma scaturisce dalla convinzione di valere.

Il senso del tempo

Quando i bambini cominciano le scuole elementari, il tempo assume per loro più significato. Per i neonati e per i bambini al di sotto dei cinque anni il tempo è indissolubilmente legato all'esperienza. A un bambino affamato che aspetta la poppata, cinque minuti possono sembrare un'eternità. Un bambino di tre anni che si sta godendo un pomeriggio di giochi con un amichetto può dare in escandescenze quando è ora di andare a casa, perché ha la sensazione di essere appena arrivato. A scuola, invece, la giornata è organizzata in porzioni di tempo riconoscibili: lezioni, intervalli, pranzo. Un'ora di lezione può sembrare molto più lunga della precedente, ma il bambino sa che in realtà era lunga uguale. Impara anche a rispettare degli orari; andare a scuola, cenare, andare a letto e molte altre attività rientrano in una specifica struttura.

Come genitori, cominciamo ad aspettarci e a pretendere che nostro figlio soddisfi le richieste entro un certo lasso di tempo. I bambini però, soprattutto a questa età, sembrano avere una visione selettiva del tempo. Quando si tratta di qualcosa che vogliono, la parola chiave è *adesso*; quando viene chiesto loro di fare qualcosa diventa *dopo*, che spesso significa mai. Anche questa è una conseguenza della posizione ambigua in cui si trova il bambino: non è più un bebè, ma non è ancora autonomo. Sta imparando ad avere un maggiore autocontrollo, ma aspettare è ancora faticoso. I desideri hanno un'immediatezza pressante. In questa fase, dicendo loro di aspettare, dicendo no a una richiesta di soddisfazione istantanea, chiediamo loro di conservare il desiderio, o di trovare il modo di soddisfarlo da soli. È importante che non debbano aspettare talmente a lungo da far svanire il desiderio, perché in questo modo rischieremmo di smorzare il loro interesse per la vita. Ma devono comunque imparare a gestire uno spazio di attesa.

Spesso l'attesa genera irritazione, senso di perdita, rabbia, disperazione. Tutti questi difficili sentimenti fanno parte del repertorio delle emozioni umane e non è negativo imparare a conoscerli. Nell'attesa, però, l'oggetto del desiderio può trasformarsi in qualcosa di cattivo. Recentemente mia figlia Holly voleva che la coccolassi prima di dormire. Ero nel bel mezzo di un lavoro e non potevo andare immediatamente da lei. Venti minuti dopo venne da me furibonda e mi lasciò un bigliettino su cui c'era scritto: "Sono le 9, ti odio". In quel lasso di tempo mi ero trasformata dalla sua dolce mammina che voleva coccolare in un essere antipatico che lei odiava. Recuperammo facilmente e ci godemmo le coccole.

Semplici esperienze come queste, ripetute più volte, creano fra genitore e figlio la necessaria distanza, che consente loro di avere due vite separate. Da un punto di vista più filosofico questi momenti ci insegnano anche qualcosa su noi stessi, su come affrontiamo l'assenza, l'attesa, i vuoti. Conserviamo l'immagine della persona buona che ci manca o la trasformiamo in un essere cattivo? Come rappresentiamo nella nostra mente qualcuno che ci provoca sofferenza? Siamo in grado di recuperare quando torna? Sono domande che rimangono pertinenti per tutta la vita e le riprenderemo nel capitolo 5 sulle coppie. Mia figlia, Holly si rendeva conto della sua ambivalenza. Lo psicoanalista Ron Britton scrive: "Quando riconosciamo di odiare la stessa persona che sentiamo anche di amare, sentiamo di essere sinceri e di avere delle relazioni stabili".

Visto in questa prospettiva, dire no non è crudele, è un aspetto necessario del fatto di essere separati. Se non si è separati, non si può avere un rapporto. I genitori che soddisfano ogni desiderio del figlio lo illudono, inducendolo a pensare che essi siano una sua estensione e che solo i suoi bisogni contino. Via via che cresce il nostro coinvolgimento con gli altri, impariamo ad accettare le differenze: quello che piace a me può non piacerti. Più il bambino impara a tollerare questi fatti, più diventa consapevole degli altri e dei loro sentimenti. Saranno doti importanti, sia a scuola che nella vita. Molti adulti non hanno ancora capito fino in fondo che non si gestiscono le differenze cercando di rendere l'altro uguale a noi, e da questo hanno origine molti problemi coniugali. Le basi per il superamento dell'egoismo vengono poste nell'infanzia.

Come fare a conciliare le divergenze inevitabili, dato che ciascuno di noi ha una diversa esperienza del tempo? Vostro figlio vi ha chiesto di giocare con lui e avete giocato insieme a Nintendo per mezz'ora; adesso decidete che avete voglia di fare qualcos'altro. Si arrabbia con voi, dicendo che non giocate mai con lui. Rispondete che lo avete appena fatto. Questo non conta, dice lui di rimando, abbiamo appena cominciato. Entrambi i punti di vista sono emotivamente veri. Voi chiedete a vostro figlio di mettere via i vestiti, lui dice che lo farà dopo. Alla fine della serata sono ancora sul pavimento. Ha intenzione di sistemarli, ma il suo "dopo" non coincide con il vostro – anzi, l'esperienza insegna che può anche essere fra qualche giorno! Dovete scendere a patti.

Tutte queste differenze, che fanno parte della vita quotidiana, ci aiutano a imparare a vivere con gli altri. Non si tratta solo di comportamenti, ma di comprensione emotiva, di consapevolezza che la loro esperienza e la nostra possono non coincidere.

Le aspettative

Per cercare di capire gli altri, spesso proviamo a metterci nei loro panni. È un modo utile di immaginare cosa possono sentire, desiderare, voler comunicare. A volte però siamo diversissimi dagli altri. I nostri stessi figli ci stupiscono: "Come è possibile che sia così diverso da me?" Dobbiamo osservarli per capire cosa ci stanno dicendo, invece di sentire quello che vogliamo sentire o quello che presupponiamo intendano dirci.

La signora W. aveva sempre avuto paura che la figlia Zoe, che ora aveva dieci anni, diventasse una pelandrona. La signora W. guardava la tv di sera: per lei era un modo di rilassarsi completamente, un'attività che le permetteva di sgombrare la mente alla fine della giornata. Sedeva davanti all'apparecchio per ore, guardando qualsiasi cosa le capitasse. Per questo era molto riluttante a lasciar guardare la tv alla figlia, perché era certa che Zoe sarebbe rimasta appiccicata allo schermo e non avrebbe fatto nient'altro. Zoe non aveva il permesso di guardare la televisione durante la settimana, e questo provocava molte liti. La signora W. era incrollabile nella sua decisione. La sorella, che aveva un atteggiamento diverso e passava molto tempo con Zoe, soprattutto durante le vacanze, le disse che quando la bambina andava a trovarla le piaceva moltissimo rilassarsi guardando per mezz'oretta la televisione, e poi giocava con entusiasmo con i cugini per il resto della serata. Convinse la signora W. a provare a lasciar guardare un po' di tv a Zoe anche a casa. Come la zia aveva predetto, Zoe apprezzava la tv a piccole dosi, ma poi era contentissima di impegnarsi in altre attività.

Era stata la convinzione che Zoe si sarebbe comportata come lei a determinare la presa di posizione della madre. Pur essendo importante dire no con fermezza, è anche essenziale capire le occasioni in cui un no è utile o necessario. In questo caso si direbbe che, opponendosi ai desideri di Zoe, la madre cercasse in realtà di venire a capo della propria incapacità di dire no a se stessa quando, secondo lei, guardava troppa televisione. Zoe infatti era capace di limitarsi.

Anche Billy è molto diverso dai genitori, entrambi professionisti, persone molto organizzate ed efficienti.

Billy ha sette anni; la mattina è sempre in ritardo, perché deve dare la caccia alla scarpa che ha lasciato chissà dove o, dopo essere già uscito di casa, deve precipitarsi indietro a recuperare qualcosa che ha dimenticato. I genitori fanno fatica ad accettare questo suo modo di affrontare la vita, così diverso dal loro. Si irritano con lui ma non fanno nessun passo per risolvere il problema. Così, di sera, quando Billy vuole giocare fino all'ora di andare a letto e poi è troppo stanco per riordinare o per preparare la cartella per la mattina, lo lasciano in pace.

I genitori di Billy non capiscono che il bambino ha dei ritmi diversi e presuppongono che, la mattina, tutto debba filare liscio anche per lui. La cosa si ripete tutti i giorni, ma ogni volta per loro è una sorpresa; pensano "Non ci credo, rieccoci!", oppure "Come è possibile che mio figlio sia così disorganizzato?" È come se non potessero accettare che Billy non sia uguale a loro e non sappia organizzarsi con altrettanta facilità. Impiega più tempo, ha bisogno di essere seguito e deve fare le cose in anticipo.

Spesso ci troviamo in circostanze simili, a essere sorpresi da eventi che succedono regolarmente. Allora dobbiamo cercare di capire perché non impariamo dall'esperienza e continuiamo a ripetere comportamenti che si sono rivelati inutili. Nel caso appena considerato i genitori sono riluttanti a rinunciare all'idea che Billy sia uguale a loro, e questo li rende incapaci di dirgli no di sera, quando il bambino vuole giocare invece di prepararsi per la mattina. Dovrebbero invece rendersi conto che ha un ritmo diverso dal loro e accertarsi che prepari la cartella in anticipo, anche se questo dovesse comportare una discussione. I litigi sarebbero comunque preferibili alla frustrazione quotidiana e al caos in cui finiscono per trovarsi tutti quanti.

Più spesso sono le aspettative che abbiamo nei confronti dei nostri figli a determinare le nostre prese di posizione, a farci decidere quando è necessario un limite. Il conflitto in genere nasce quanto le nostre aspettative si scontrano con il comportamento o l'atteggiamento dei nostri figli. Vogliamo dire no al loro modo di fare e imporre il nostro. A chi aspira ad assomigliare il bambino, chi lo spingiamo a diventare? Quali sono per noi i parametri del successo? Investiamo molto nei successi dei nostri figli, soprattutto durante l'adolescenza; ma già nella scuola primaria, quando i bambini cominciano a imparare, ci sono i voti, i compiti che vengono assegnati a casa e a scuola, le scadenze da rispettare, ed ecco fare la loro comparsa gli spettri del fallimento e dell'insuccesso. Vogliamo la perfezione o ci basta la "sufficienza"? Vogliamo che il bambino eccella rispetto agli altri o che faccia del suo meglio in rapporto a se stesso?

A casa, succede comunemente che un bambino venga aiutato a risolvere un problema di matematica dalla madre, esasperata perché non capisce come possa non essergli chiara una cosa così semplice. Si arrabbia, come se il bambino si rifiutasse di imparare e avesse un atteggiamento testardo o provocatorio. Il bambino se la prende e smette di ascoltare. La frustrazione è padrona del campo e si instaura un circolo vizioso di insoddisfazione. Può essere una situazione che si ripete con regolarità e in cui entrambi, mamma e figlio, sono intrappolati. La madre pensa: "Se solo mi ascoltasse!" Il bambino si accorge che la madre è delusa e si sente stupido, magari protesta e chiede alla madre di lasciarlo in pace.

Le nostre aspettative possono interferire con il ritmo e con le modalità di apprendimento che sono ottimali per i nostri figli. Quando non capiscono o non fanno progressi ci sentiamo inadeguate. Ci preoccupiamo del loro rendimento futuro. Se non accettano i nostri consigli ci sentiamo rifiutate. Il problema non è più il compito di matematica, ma il rapporto fra madre e figlio. Una mia amica viene presa in giro in famiglia perché a volte, nei momenti di sconforto, le è capitato di dire: "La gente paga migliaia di sterline per un mio consiglio. Voi potete averlo gratis e non lo volete!" È in momenti come questi che la madre deve creare uno spazio, una distanza fra sé e il figlio, deve saper dire no e non lasciare che la frustrazione la trascini in un conflitto. È in grado più del figlio di attenersi al problema del momento, evitando di lasciare che la sua mente vada altrove, mettendo in discussione lei come madre e lui come figlio. Se ce la fa, riuscirà ad aiutare meglio il figlio e smetterà di assillarlo.

In certi casi il bambino può avere dei dubbi sulle proprie capacità, magari perché gli hanno chiesto qualcosa che lui non è in grado di fare. Questo influisce sulla sua capacità di apprendere. Ecco un breve scorcio di vita scolastica, in cui vediamo in azione Alex, un ragazzino di 11 anni, osservato dalla sua insegnante di sostegno:

I bambini entrano in classe e si siedono in silenzio. Alex gioca con delle monete. Gira per l'aula e non ascolta. L'insegnante gli dice di sedersi. Si siede e ascolta per un breve periodo di tempo, intanto che lei spiega il compito. Chiede se devono scrivere quello che ha detto. L'insegnante si irrita con lui: "Alex, sono tre mesi che facciamo la stessa cosa e ancora non lo sai! Non ho tempo di rispondere a domande sciocche!" Alex si mette a giocherellare con le monete, facendole passare da una mano all'altra. Quando cerco di parlargli strizza gli occhi e gira la testa dall'altra parte.

Alex è ansioso e inquieto. Giocherella nervosamente, vuole partecipare ma lo fa in maniera inadeguata, ponendo una domanda di cui dovrebbe conoscere la risposta e irritando l'insegnante. Si scoraggia e si distrae facilmente. La preoccupazione di non essere in grado di svolgere il lavoro gli impedisce di concentrarsi, non ascolta e quindi inizia il lavoro con uno svantaggio, che poi è difficile da recuperare. La paura del fallimento blocca l'apprendimento.

L'esempio seguente mostra cosa può accadere ai bambini che non sono davvero in grado di fare ciò che viene loro richiesto. Vediamo le difese che mettono in atto e la natura delle loro fantasie. Lee ha nove anni, frequenta una scuola tradizionale, ma gli è stata affiancata un'insegnante di sostegno. Ha grosse difficoltà nelle abilità di base come la scrittura e l'aritmetica elementare. Viene continuamente sgridato:

Lee entra in classe eccitato, saluta tutti a voce alta, spintona e dà calci per gioco agli altri bambini. Gli altri cercano di ignorarlo. L'insegnante spiega ai bambini l'attività da svolgere: devono scrivere una lettera ai proprietari di un luogo immaginario chiamato Fantasilandia, che desiderano visitare. Devono dire perché i proprietari li dovrebbero invitare. Lee ride e indica alcuni bambini. L'insegnante gli dice di mettersi a lavorare e Tanya, l'insegnante di sostegno, si va a sedere accanto a lui. Non c'è molto spazio per lei. Lee le dice in tono piuttosto provocatorio: "Peccato, non c'è posto per te!" Lei si irrita e dice: "Be', mi dispiace per te!" "Cos'hai detto, Tanya? Che ti dispiace per me?" chiede lui. Lei gli spiega che se non c'è posto per lei, non può aiutarlo. Allora lui, con fare aggressivo, sposta la sedia per farle posto. Colpisce Khalid, il suo compagno di banco. Khalid gli chiede: "Cosa stai facendo?" Lee risponde: "Non sono stato io, è stata Tanya". Tanya gli dice che adesso si deve concentrare. Lui si dondola sulla sedia e bisbiglia qualcosa al vicino. Ridacchiano entrambi. Tanya gli dice che è ora di lavorare. Chiede a Lee cosa direbbe ai proprietari di Fantasilandia. "Non lo so", risponde lui, e si dondola più forte. Gli altri adesso stanno scrivendo e lui li guarda preoccupato. Tanya gli chiede ancora: "Proviamo a pensare cosa potresti dire su Fantasilandia?" Lui risponde che un posto del genere non esiste. Tanya dice: "Facciamo finta che esista, proviamo a usare l'immaginazione". "Ma non esiste", insiste il bambino. Tanya dice che possono provare a inventarlo. Lee guarda cosa ha scritto Khalid e gli dice qualcosa nell'orecchio. Khalid si arrabbia molto e riferisce a Tanya che Lee gli ha detto di aver visto sua madre che usciva dal magazzino di abbigliamento di seconda mano con un sacco pieno di vestiti. Khalid protesta: "Non è vero!" Lee ride e dice: "Almeno io non compro i vestiti da Oxfam!" Litigano e Tanya sgrida Lee perché ha disturbato Khalid e lo ha fatto andare su tutte le furie. Lee nega. Tanya cerca di riportarlo al suo lavoro e comincia a scrivere qualcosa lei. Lui si stupisce nel vedere come fa in fretta a finire un paragrafo. Dice a un altro bambino: "Guarda, Tanya scrive con il sangue, lo sapevi che il modo migliore di scrivere è di tagliarti il polso, e quando scorre il sangue scrivi pagine e pagine".

Da questo resoconto vediamo non solo quanto Lee possa essere fastidioso, ma anche come è dura per lui la vita a scuola, quanta sofferenza gli deve provocare. Entra pieno di spacconeria, ma viene immediatamente messo a tacere dal commento di Tanya: "Peccato per te". Il suo atteggiamento provoca una risposta irritata di Tanya, che gli rende per così dire pan per focaccia, e che solo in seguito reagirà in modo più riflessivo. Questo mette in evidenza quanto sia difficile mantenere un atteggiamento consapevole e attento con i bambini che si spingono continuamente oltre i limiti. L'osservazione mortifica Lee, che si sente umiliato e procede subito a colpire un altro bambino. Molti bambini come Lee sembra picchino a caso, apparentemente senza motivo. Qui Khalid è stupito del comportamento di Lee e gli chiede cosa sta facendo. Non capisce perché Lee lo abbia colpito, senza che lui lo avesse minimamente provocato. Eppure il comportamento di Lee ha un significato: Lee è in collera con Tanya, non con Khalid. È arrabbiato e colpisce la prima cosa che trova a portata di mano. È offeso e vuole a sua volta offendere qualcuno. Dà la colpa a Tanya, come fanno i bambini ben più piccoli di lui quando si fanno male da soli e dicono: "Guarda cosa mi hai fatto fare!"

Quando si trova di fronte al compito da svolgere, Lee non sa da che parte cominciare e cerca di rimandare, cambiando argomento e distraendo altri bambini. Quando ormai sono tutti al lavoro, si sente molto isolato. Tanya gli chiede di immaginare Fantasilandia, ma lui ne è assolutamente incapace. Non sa trattare con cose che non sono visibili e concrete, la sua mente è incapace di esplorare e di creare. È come i bebè di cui abbiamo parlato all'inizio del libro, che sono sempre attivi e non lasciano mai vagare la mente. Si sente perso e diventa ansioso. Quando guarda cosa ha scritto Khalid si sente inadeguato e prova invidia per il compagno. Così comincia a tormentarlo. È come se non sopportasse di essere a disagio lui solo, e volesse far star male anche qualcun altro. Disturba Khalid cercando di distoglierlo dal suo compito.

La storia che inventa sulla madre di Khalid non mira solo a ferire il compagno, ma può essere interpretata anche come l'espressione della voce crudele, piena di scherno, che Lee porta dentro di sé. Non è in grado di lavorare da solo, per così dire di prima mano, e deve prendere sacchi di pensieri di seconda mano dagli altri bambini e dagli insegnanti.

L'atteggiamento crudele, di scherno verso gli altri, ci fa intuire molte cose sull'atteggiamento che Lee ha verso se stesso. È un bambino che pensa di essere stupido e vuole far star male gli altri come sta male lui. Le aspettative severe e rigide, accompagnate dal disprezzo per la sua inadeguatezza, vengono da dentro di lui e solo occasionalmente dall'esterno, dagli insegnanti. Non volendo sentirsi incompetente, il bambino cerca di proteggersi prendendo le distanze dall'insegnante di sostegno e da chiunque gli ricordi che non sa le cose o che non sa svolgere un compito. Purtroppo questo gli impedisce anche di rendersi disponibile all'aiuto che riceve dall'esterno. Quando vede la facilità con cui scrive Tanya, comincia ad avere fantasie morbose, di ferite e di sangue. L'immagine che ne ricaviamo è che scrivere per lui sia un incubo, che pensi che per farlo si debba soffrire, magari addirittura morire.

Per questo genere di bambini sentirsi dire "no" è deleterio, perché risuona in loro come un'eco della voce cattiva e critica che si portano sempre appresso. Il primo passo da compiere perché possano aprirsi all'apprendimento è la costruzione della loro autostima. Lee è, in fondo, una versione più grande di Paul, il bambino che ho descritto nel capitolo 2. Non sopporta di toccare con mano la propria vulnerabilità e reagisce colpendo gli altri e tagliandosi fuori dai rapporti. Ha un modo di fare arrogante e sicuro di sé, che irrita gli altri inducendoli a reagire con durezza e a fissare limiti rigidi. Egli vede così riflesso in loro il suo mondo interiore, colmo di rabbia e di disprezzo. Con bambini come Lee, la sfida per gli adulti è di riuscire a fissare dei limiti che non vengano percepiti come punitivi, ma trasmettano sicurezza. Lee ha bisogno di cominciare a pensare che, anche se ci sono alcune cose che per il momento non riesce a fare, può sperare un giorno di riuscirci. Il fatto che non riesca a scrivere non significa che è un totale fallimento, e non per questo deve essere umiliato e ridicolizzato. È importante anche fargli sapere che capite quello che prova, ma che in ogni caso non gli permetterete di fare del male agli altri. Farete così nascere la speranza che saprete op-

porvi anche a quella parte di lui che disprezza i suoi stessi fallimenti. Un bambino come Lee non risolverà i suoi problemi da
solo, semplicemente crescendo; ha bisogno di un aiuto speciale
sul piano sia emotivo che educativo.

L'esempio seguente, tratto da una situazione analoga, mostra
come un atteggiamento fiducioso possa incoraggiare il bambino
e promuovere l'apprendimento. Vengono posti dei limiti, ma in
un modo che non mortifica il bambino. Prithi ha dieci anni e usu-
fruisce di un aiuto supplementare a scuola. Anche lei ha grossi
problemi nella lettura, nella scrittura e nell'esecuzione di semplici compiti. Spesso cerca di far svolgere il suo lavoro all'insegnante. Ecco cosa scrive Liz, l'insegnante di sostegno:

Dico a Prithi che dobbiamo leggere una storia sui draghi e poi rispondere ad alcune domande. Le leggo la storia, ma lei non si con-
centra, è distratta, gioca con la matita, si agita sulla sedia e cerca di
distrarmi. Le dico che mi sembra preoccupata di tutte le cose che
dobbiamo sapere sui draghi per rispondere alle domande. Prithi risponde: "Liz, penso che il problema sia capire, voglio dire, sai, gli altri bambini che non hanno difficoltà, questa cosa la fanno molto in
fretta. Se uno è intelligente, insomma, non c'è nessun problema, capisci?" Le dico che mi pare sia preoccupata di non essere intelligente
come gli altri. E aggiungo: "Penso che la tua difficoltà non abbia niente a che vedere con l'intelligenza, tu sei una bambina intelligente.
Non è vero che non capisci quello che dico dei draghi. Se ti leggo
che i draghi in Cina sono gentili e simpatici e portano fortuna, mentre in Inghilterra sono cattivi e fanno la guardia ai tesori, questo lo
capisci?" Prithi fa cenno di sì. "Visto? Non è vero che non capisci.
Invece ho notato che spesso fai fatica a concentrarti su quello che
stiamo facendo". Prithi si calma e mi invita a continuare. Dopo un po'
mi chiede se mi può leggere lei la storia sui draghi.

È evidente che Prithi pensa di non essere all'altezza del compito che le è stato assegnato e si sente inferiore ai compagni. Sappiamo da altre relazioni che ha la tendenza a rinunciare e che solitamente chiede a Liz di portare a termine il lavoro. Ma qui, quando Liz le parla di quello che prova e le dà la speranza di poter capire e partecipare, Prithi riesce a prendere l'iniziativa.

Ho riportato tre esempi di bambini con difficoltà di apprendimento per evidenziare in forma estrema cosa succede quando
le aspettative non corrispondono alle reali capacità. Gli esempi
illustrano anche diversi modi di affrontare queste situazioni. I
bambini con difficoltà meno gravi presenteranno forme di adattamento analoghe, ed è quindi opportuno considerare se ciò che
chiediamo loro corrisponde a ciò che sono in grado di produrre.

Dobbiamo avere un approccio specifico, non globale, in modo da farli sentire aiutati a superare una particolare difficoltà, e non giudicati. Dobbiamo capire l'insicurezza che provano i bambini quando non conoscono le risposte a ciò che viene loro chiesto. Anche per gli adulti non è facile sforzarsi di capire qualcosa che trovano complicato, e nemmeno rassegnarsi all'ignoranza.

All'origine di molti conflitti ci sono delle aspettative inadeguate. A volte ci arrabbiamo con i bambini perché abbiamo l'impressione che non si impegnino abbastanza. Insegnanti o genitori, perdiamo di vista il problema reale del momento, cioè il compito che è stato assegnato, e prende il sopravvento una difficoltà nel rapporto. Se riusciamo a comportarci con fermezza, dicendo no al bambino che cerca di distrarci e mantenendolo in carreggiata, è più probabile che evitiamo di disperderci. Ci sarà anche più chiaro cosa interferisce con l'apprendimento, come nel caso di Liz e Prithi, e di conseguenza sapremo come tener desta l'attenzione del bambino, senza lasciare che si perda nelle sue ansie. Molti bambini si distraggono facilmente; ci vuole una mano ferma per farli concentrare. A volte può anche essere necessario dire no alla nostra ambizione e rallentare per adeguarci al ritmo del bambino.

In generale, come genitori, abbiamo poca idea di cosa viene richiesto ai bambini della scuola primaria, a meno che non abbiamo a che fare con loro a livello professionale. Le cose sono cambiate rispetto a quando eravamo a scuola noi. Spesso ci sorprende che la valutazione dell'insegnante differisca dal nostro giudizio sulle capacità di nostro figlio. Soprattutto negli ultimi anni della scuola primaria ci può succedere di valutare il lavoro dei bambini in base a come lo svolgeremmo noi adesso. Così un progetto ci può sembrare molto inconsistente, o un esperimento scientifico presentato con poca chiarezza. I genitori devono resistere all'impulso di prendere in mano la situazione, proporre una scaletta di lavoro o fare addirittura la ricerca al posto del bambino. Spinti dal desiderio di essere genitori "perfetti" che aiutano i figli nei compiti, rischiamo di interferire con i suoi ritmi e con la sua capacità di apprendere autonomamente. Se vogliamo che un'abilità venga acquisita in modo duraturo, dobbiamo lasciare che lavori da solo. In queste circostanze dobbiamo imparare a dire no al nostro desiderio di partecipare e di aiutarlo. Non sto affermando che i bambini debbano essere lasciati soli a scervellarsi, ma che dovremmo intervenire rispondendo a una loro esigenza, e non al nostro bisogno di sentirci bravi e responsabili.

Alcuni bambini non vogliono lavorare, vorrebbero che faceste tutto voi. Può darsi che siano come Prithi e non si considerino all'altezza, oppure vogliono solo sentirsi coccolati. Magari, facendosi vedere inermi e bisognosi, pensano di riuscire a tenervi accanto a sé e ricorrono a vari stratagemmi per impedirvi di dire no al loro desiderio di essere trattati ancora da bambini piccoli. Dovrete trovare il modo di aiutarli, di accettare l'espressione di questo bisogno infantile, continuando però a pretendere che in altri momenti si impegnino. È possibile che a scuola abbiano già fatto abbastanza i "grandi" e che a casa vogliano rilassarsi un po' e regredire. Però, se vogliono fare sempre i bambini piccoli, assecondandoli non fate certo il loro bene. Equivale ad ammettere che avere l'età che hanno adesso non è bello come essere piccoli.

Non è molto diversa la situazione dei bambini che non vengono trattati come se fossero più piccoli, ma come personaggi speciali, come piccoli principi e principesse. Spesso i genitori, e loro stessi, si aspettano che chiunque si debba comportare allo stesso modo.

Carla ha otto anni ed è figlia unica. È minuta, piuttosto graziosa e sembra più piccola della sua età. È una bambina brillante che svolge molte attività extrascolastiche. Fa balletto, gioca a tennis e suona il violino. La madre è molto attiva a suola, partecipa alle uscite, aiuta ogni volta che è richiesto l'intervento dei genitori. Carla parla come un'adulta in miniatura, criticando gli altri bambini perché sono disordinati o gli insegnanti perché sono in ritardo. È sempre ansiosa di raccontare a tutti quanti i bei voti che ha preso e si fa un punto d'onore di comportarsi bene. Se litiga con un altro bambino, va subito a dirlo all'insegnante e a volte anche alla madre, se è presente a scuola. La madre si mette dalla sua parte e sgrida l'altro bambino. Carla è affascinante ed educata con gli insegnanti e va d'accordo con loro, ma è molto impopolare fra i compagni.

Dalla descrizione risulta evidente che questo stato di cose non è vantaggioso per Carla. A scuola gli insegnanti non se ne accorgono più di tanto; la bambina sembra loro matura per la sua età, chiacchiera con gli adulti, è più composta di tanti suoi compagni. Ha tutto quello che può desiderare, ma non ha modo di fare esperienza di molti limiti. Il suo comportamento da bambina perfetta, che vuole sempre emergere, irrita parecchio i compagni. Ha bisogno di sentirsi al centro dell'attenzione e non riesce a inserirsi veramente nel gruppo e a svolgervi un suo ruolo. L'aspettativa di essere speciale per tutti come lo è per i genitori finirà per rivelarsi un handicap, facendola rimanere una bambina immatura. Volendole dare tutto il meglio i genitori la privano dell'esperienza essenziale di essere normale, di essere solo una bambina come gli altri.

Come ha dimostrato una ricerca che ha rappresentato una

pietra miliare in questo campo, vi sono casi in cui è importante avere aspettative elevate riguardo alle capacità di apprendimento e di successo dei bambini. Dei bambini di pari abilità vennero suddivisi a caso in tre gruppi, che vennero poi assegnati a tre insegnanti diversi. Agli insegnanti fu detto che i bambini di un gruppo erano particolarmente brillanti, quelli del secondo gruppo normali e quelli del terzo gruppo avevano capacità al di sotto della media. La ricerca dimostrò che i risultati dei bambini corrispondevano alle aspettative. È un'informazione importantissima per trattare con i bambini che, per un motivo o per l'altro, vengono definiti problematici. Sicuramente alcuni bambini hanno più capacità di altri, che possono aver bisogno di un aiuto extra. Ma è importante accertarlo con cura, non basandosi su prevenzioni o pregiudizi. Ai nostri giorni, per esempio, un numero enorme di bambini appartenenti a minoranze etniche, soprattutto maschi, sono svantaggiati a causa delle scarse aspettative degli insegnanti nei loro confronti. In Inghilterra, il fatto che un bambino viva in una casa dove si parla una lingua straniera viene spesso considerato uno svantaggio. Ma dovrebbe essere considerato al contrario un grosso vantaggio. In India, per esempio, molti bambini maneggiano con facilità due o tre lingue. Delle aspettative elevate, se non sono tiranniche, incoraggiano il bambino e lo riempiono di speranza.

Ci sono bambini molto interessati all'apprendimento, le cui aspettative vanno oltre le nostre. Una situazione di questo genere è narrata da Roald Dahl nella meravigliosa storia di Matilda, la bambina così dotata, per la quale i libri, lo studio e l'insegnante rappresentano un porto sicuro. I genitori sono caricature dell'avidità e della vacuità. In modo indiretto, la storia può valere anche per molti di noi. Se gli interessi dei bambini sono diversi da quelli della famiglia, può succedere che non vengano apprezzati. Anche a livello minimo, può accadere che una famiglia con interessi letterari lasci cadere i discorsi e le domande di carattere scientifico. I genitori devono rendersi conto che il figlio ha attitudini diverse e resistere alla tentazione di sopravvalutare le proprie abilità rispetto alle sue. Capita a volte che un bambino abbia un'autentica passione e un talento per qualcosa che è totalmente al di fuori del quadro di riferimento della famiglia; in questo caso i genitori dovranno sforzarsi di superare il senso di estraneità e le incertezze, per consentire al figlio di esplorare da solo questo nuovo territorio. Molti bambini impareranno molto più di quello che hanno imparato a scuola i genitori: in questi casi la famiglia non sarà in grado di aiutare il bambino per quanto riguarda il contenuto del lavoro, ma avrà un ruolo essenziale di stimolo e di incoraggiamento.

Dobbiamo essere flessibili e, con il passare del tempo, saper modificare le nostre aspettative. Un bambino di due o tre anni che entra in casa come un ciclone con le scarpe sporche di fango e semina vestiti dappertutto verrà probabilmente sgridato, ma verrà trattato in genere con una certa tolleranza e la madre, pur lamentandosi, raccatterà quello che ha lasciato per terra. Un bambino di dieci anni che si comporta allo stesso modo non godrà invece di molta approvazione. Le stesse richieste varranno per l'ordine in generale, l'igiene, l'autodisciplina e la motivazione. Un genitore costretto a dire in continuazione al figlio cosa deve e cosa non deve fare si sente un brontolone. È una posizione sgradevolissima, e ci si aspetta che il bambino crescendo non ne abbia più bisogno. La madre dovrà probabilmente resistere alla tentazione di stargli addosso, smettere di immedesimarsi in questo ruolo. Dovrà rinunciare a una parte di controllo.

Un bambino che si aspetta che la madre provveda a tutto ha una sfera d'azione molto limitata. Vuole che giochi con lui o che gli suggerisca sempre cosa fare. Si lamenta non appena se la deve cavare da solo, è sempre annoiato. La sua immaginazione e la sua creatività vengono soffocate. Nel capitolo 1 abbiamo visto che l'assenza di un genitore porta i neonati a sviluppare le loro risorse interiori. La cosa vale anche per questa fascia di età: dire no, rifiutarsi di essere sempre presenti può rivelarsi molto utile per il bambino. Il nostro compito non è sempre quello di riempire i vuoti, ma dobbiamo anche tollerare questa posizione scomoda. Lo psicoterapeuta infantile Adam Phillips scrive: "Non è rivelatore quello che la noia di un bambino evoca negli adulti? Viene interpretata come una richiesta, come un'accusa di fallimento, come delusione; raramente viene accettata semplicemente per quello che è". E aggiunge: "Gli adulti sono tirannici quando pretendono che un bambino sia interessato, invece di dedicare del tempo a scoprire cosa gli interessa".

Crescendo, un bambino vuole avere più libertà, vuole avventurarsi nel mondo da solo, decidere che amici desidera vedere. A questa età è fondamentale concedergli un po' di libertà, per esempio lasciarlo uscire in bicicletta o lasciarlo giocare con gli amici in strada. Ha bisogno di sentire che non esistono solo le restrizioni. Non si può sottovalutare l'importanza dello stare con gli altri bambini. Un genitore dovrà magari fare qualche sacrificio per permettere al figlio di vedere gli amici, dovrà mettere in conto qualche avanti e indietro in più in macchina e i fratelli dovranno rinunciare a qualche attività che avrebbero preferito. Rendendosene conto, il bambino dovrebbe accettare più facilmente i limiti che gli vengono posti. I genitori possono essere restii a concedergli più libertà e a lasciare che badi un po' a se stesso, perché esitano a fidarsi di lui e dell'ambiente che lo circonda, che purtroppo è sempre meno rassicurante. L'alternativa però è di allungare il periodo della dipendenza e limitare le risorse del bambino, dipingendogli fra l'altro il mondo come un posto pericoloso. Dobbiamo soppesare attentamente i pro e i contro di una simile presa di posizione.

I genitori devono contemperare le esigenze ancora infantili del figlio con le sue crescenti richieste di indipendenza. Ne possono nascere degli attriti. Che fare quando vostro figlio vi supplica di prendere un animale domestico, garantendovi che vi potete fidare, che se ne prenderà cura, che sarà responsabile, che farà tutto quello che c'è da fare anche quando non ne ha voglia? Accettare, anche se sapete che probabilmente non manterrà le promesse? Imporgli di rispettare l'accordo, soprattutto quando è evidente che l'animale non viene curato come si deve? Occuparvene voi al suo posto o lasciare che il bambino impari quali sono i costi della sua inadempienza, anche se questo significa far soffrire l'animale? Non sono problemi semplici. Se prendete in mano la situazione e fate voi tutto il lavoro, il bambino potrebbe non rendersi mai conto che il suo contributo non era sufficiente. Quando farà una richiesta analoga, si dimenticherà probabilmente di quello che era successo la volta precedente. Se non vi occupate dell'animale, a parte la crudeltà nei suoi confronti, consentite anche a vostro figlio di essere distruttivo, e nel peggiore dei casi di lasciar morire un altro essere vivente, con il senso di colpa che ne consegue. Potreste finire per trovarvi nella strana situazione di dover spingere vostro figlio ad adempiere alle responsabilità che si è preso contro il vostro parere. Ma sarebbe ingiusto anche non lasciarlo provare; potrebbe dimostrarsi perfettamente all'altezza del compito che si è assunto e, oltre alla gioia di prendersi cura dell'animale, guadagnarne in maturità e senso di responsabilità. Non è un problema semplice quello di capire quanta fiducia merita il bambino e quali sono i giusti limiti. Conviene forse scegliere una mediazione e affrontare le cose con ottimismo ma con prudenza, sapendo che il bambino potrebbe non riuscire a cavarsela da solo, che si pone obiettivi per i quali potrebbe aver bisogno di aiuto.

Un problema simile si presenta quando i bambini vogliono intraprendere un'attività dedicandosi a una disciplina sportiva, al teatro, alla danza o allo studio di uno strumento.

Josh ha nove anni e ha la passione del nuoto, in cui riesce molto bene. Convince i genitori a iscriverlo al club di nuoto locale, che richiede la frequenza tre volte alla settimana. Gli piacciono le gare ma gli allenamenti lo stancano. Il padre deve fargli continue prediche perché frequenti regolarmente, anche quando non ne ha voglia. Ne nascono molte discussioni.

Avendo acconsentito a un desiderio del figlio o avendolo essi stessi incoraggiato, molti genitori si sentono in dovere di fargli portare avanti l'attività intrapresa. Il mio suggerimento, a questo punto, è di chiedersi cosa significa per il bambino continuare o smettere. Lo state costringendo a fare qualcosa che ormai detesta? Rischiate di accondiscendere alla tendenza di vostro figlio a rinunciare troppo facilmente? Penso che siano decisioni da ponderare accuratamente, evitando di scegliere la soluzione più rapida e più semplice. Dedicando del tempo a riflettere fate capire a vostro figlio che le scelte hanno un valore e che non è indifferente abbandonare un'attività che era stata intrapresa. Questo è già utile di per sé. Può essere importante combattere l'istinto di rinunciare non appena si incontrano delle difficoltà, perché così facendo si sviluppano la costanza e l'ottimismo. Se si rinuncia troppo facilmente, non si saprà mai se si sarebbe riusciti oppure no.

Nel caso di Josh, i genitori vollero che continuasse fino alla fine dell'anno. A quel punto fu chiaro che gli piaceva semplicemente nuotare con gli amici, e i genitori furono soddisfatti e si convinsero che il club non faceva per lui.

Essere diversi

Le cose che ci aspettiamo dai nostri figli e che consentiamo loro di fare dipendono in parte da considerazioni legate all'età e in parte da quello che vediamo fare nelle altre famiglie. Dobbiamo però chiederci se siano scelte che corrispondono al nostro stile di vita.

Negli anni della scuola pimaria, quello che fanno gli altri bambini conta enormemente. A molti bambini piace collezionare francobolli, figurine di calciatori, fotografie di cantanti. Vogliono cantare tutti le stesse canzoni, guardare gli stessi programmi televisivi e discutere di cosa è successo nella loro *soap-opera* preferita; amano far parte di una cultura comune. Questo atteggiamento nasce soprattutto dal bisogno di sentirsi al sicuro nel mondo esterno, ma anche dal fatto che non vogliono più essere considerati dei bebè attaccati alle gonne della mamma, perché stanno benissimo con i compagni, e grazie tante! I bambini osservano e confrontano, e spesso vogliono essere uguali agli altri. Perdono parte della loro intensità e si trovano a loro agio nelle situazioni strutturate e negli stereotipi. Agli adulti e ai teenager le loro attività appaiono spesso noiose.

I genitori, se non si vogliono adeguare, possono trovarsi in difficoltà. Come fate a dire no a Jenny quando vi dice che tutti gli altri della classe hanno il permesso di andare al *pigiama party* di Alice, o che tutti i suoi compagni possono andare a far compere da soli? Come sempre, dovete riflettere, analizzare le vostre scelte e quali ne sono le motivazioni. Dite istintivamente no per paura di lasciare troppo libera Jenny? Siete preoccupata perché non conoscete i genitori di Alice? Sentite di non aver niente a che fare culturalmente con la famiglia dell'amica? Sapete che Jenny quando è stanca diventa noiosa e avete paura che crei dei problemi a casa di Alice? Solo dopo aver soppesato attentamente tutti i pro e i contro potete prendere una decisione sensata.

La signora G. ha quattro figli. La minore, Jane, che ha otto anni, è stata invitata a trascorrere il fine settimana a casa di amici in campagna. La signora G. è riluttante a lasciarla andare, perché teme che di notte la bambina abbia paura. Inoltre non l'attira molto l'idea di guidare per un paio d'ore per andarla a prendere se qualcosa va storto. Ma Jane è talmente entusiasta all'idea, che la madre decide di lasciarla andare. Jane si diverte moltissimo ed è ansiosa di ripetere l'esperienza. La madre è sorpresa perché ha sempre visto Jane come la piccolina della famiglia, che ha bisogno dell'atmosfera rassicurante di casa. Di solito fa storie per andare a letto e la signora G. pensava che fuori casa avrebbe avuto difficoltà. È contenta di sapere che Jane è stata bene, ma è anche un po' triste perché sta perdendo la sua bambina e si rende conto che un periodo sta finendo.

In questo caso la signora G. è stata pronta a dire no al proprio desiderio di tenersi Jane attaccata alle gonne ed è stata capace di lasciarla andare. L'esperienza per lei ha valenze contrastanti: ha acquisito una figlia più autosufficiente e socievole, ma al tempo stesso ha perso la bambina che, per divertirsi, aveva bisogno di lei.

Lynne ha dieci anni; è stata invitata alla festa di Naomi, dove hanno in programma di vedere una videocassetta che la madre di Lynne, la signora T., considera poco adatta. Non vuole che la figlia la veda ed è incerta se impedirle di andare o parlare ai genitori di Naomi chiedendo loro, se è possibile, di scegliere un video diverso. Lynne spera con tutte le sue forze che sua madre non dica niente; sarebbe troppo imbarazzante. La signora T. sa che Lynne è terrorizzata dai film dell'orrore e non sa che pesci pigliare. Ma Lynne desidera talmente far parte del gruppo che la madre la lascia andare senza dire niente. Dopo la festa, per alcune settimane Lynne si sveglia di notte con dei terribili incubi. La signora T. rimpiange di non essere stata più decisa e di non aver seguito l'istinto.

È talmente difficile sapere cosa è giusto! È inevitabile commettere qualche errore nell'interpretare e nel valutare le situazioni. In generale siamo riluttanti a dire no se questo rischia di isolare nostro figlio; eppure a volte è necessario prendere posizione. In questo caso il prezzo pagato non è troppo alto, e Lynne probabilmente avrà imparato che le cose che fanno gli altri non sempre vanno bene per lei. È utile anche ricordare che dicendo no quando gli altri dicono sì insegniamo al bambino che può capitare di essere diversi, e che va bene così. Questo lo aiuterà più tardi a resistere per conto proprio alla pressione dei pari. Gli consentirà magari di dire no al sesso o alle droghe senza timore di essere giudicato un vigliacco. Gli state trasmettendo l'idea che vale la pena di chiedersi: "È davvero quello che voglio *per me?*" L'incapacità di far valere le proprie scelte può avere un prezzo molto alto.

Come affrontare i conflitti

Durante la settimana vostro figlio è lontano da voi per almeno sette ore al giorno. Quando gli chiedete cosa è successo a scuola, spesso ricevete una risposta molto laconica, a volte solo un "Niente di interessante". Ma, anche se il bambino parla molto della scuola, non è come sapere le cose di persona. In passato probabilmente avete avuto dei contatti con chi se ne prendeva cura, baby-sitter, tata, parente o insegnante d'asilo che fosse. Adesso per la prima volta vi dovete fidare solo dei suoi racconti per farvi un'idea di come è stata la sua giornata. Sorge allora il problema di come affrontare le difficoltà che vi vengono riferite e di cui non siete state testimoni. Vostro figlio vi riferisce che l'insegnante x lo odia e lo punzecchia in continuazione, o che Sharon lo prende sempre in giro. Può succedere che vi chieda di andare di persona a dirgliene quattro o di farli smettere in qualche modo. Oppure vi può supplicare di non parlarne con nessuno. Arrabbiarsi come lui o agire spinte dai suoi stessi impulsi non serve. Telefonando a scuola e lamentandovi di Sharon potreste peggiorare la situazione. Con il nostro modo di reagire a quello che i bambini ci raccontano, offriamo loro un modello di interazione e un esempio di come affrontare i conflitti. Possiamo aiutarli anche a distinguere i sentimenti dalle azioni.

Sasha, una bambina di sette anni, tornò a casa in lacrime raccontando che la maestra l'aveva sgridata perché aveva picchiato una compagna. Spiegò alla madre che Rebecca, la sua compagna di banco, l'aveva presa in giro per tutta la mattina e le aveva fatto i dispetti nascondendole le matite e la gomma. Alla fine Sasha aveva colpito Rebecca con il righello, la maestra l'aveva vista e l'aveva punita. Malgrado le proteste di Sasha, la madre le disse con fermezza che non doveva picchiare. Pur riconoscendo che era ingiusto che solo lei fosse stata punita, le fece notare che aveva colpito una compagna, e che questo non era consentito. Cercarono di trovare insieme cos'altro avrebbe potuto fare Sasha. La bambina dovette immaginare dei modi diversi (e consentiti) di gestire i propri sentimenti, senza tradurli immediatamente in azione.

Come abbiamo visto nel capitolo 1, è importante anche l'interpretazione di un'esperienza difficile o dolorosa. Se reagiamo in maniera esagerata trasmettiamo il messaggio che il mondo esterno è pericoloso e pieno di potenziali nemici. Molte famiglie viste nei centri di consulenza funzionano in base alla convinzione che si è al sicuro solo in famiglia e a casa propria. Tutti gli estranei vengono considerati poco disponibili. Ne può sorgere una reale difficoltà ad accettare le cose buone che vengono dagli altri, che siano insegnanti, amici o perfino libri. In forma estrema questo atteggiamento può portare al rifiuto della scuola. Un bambino che affronta la scuola con mille paure ha bisogno che invece i genitori ci credano, siano convinti che ha delle cose buone da offrire e che è un posto sicuro. Se i genitori si lasciano sopraffare dai sentimenti negativi dei figli nei confronti della scuola, non saranno in grado di offrire loro dei punti di vista diversi. Dimostrandosi preoccupati quanto il figlio accettano di fatto la sua versione della vita scolastica e non gli danno nessuna speranza che possa essere diversa.

Ma i problemi possono sorgere anche quando non si presta abbastanza ascolto al disagio espresso dal bambino. Può darsi che Sharon sia davvero prepotente e debba essere messa al suo posto, o che l'insegnante X abbia veramente delle difficoltà con vostro figlio. Bisogna dunque ascoltare, e non limitarsi a dire sì accettando in blocco il racconto del bambino.

Ascoltare

Può darsi che per voi ascoltare il racconto dell'esperienza di vostro figlio sia molto penoso; vi potrà capitare di sentirvi irritate con chi lo fa soffrire, ma forse anche con lui perché vi coinvolge nella sua brutta esperienza. Vi ritroverete a reagire con durezza, a sgridarlo perché piagnucola sempre, a dirgli di farsi coraggio, perché non sa neanche cos'è la sofferenza. Possono essere tutte reazioni sensate. Qui ci interessa capire da dove vengono, soffermarci un attimo a riflettere in modo da poter poi agire in base a una scelta, e non per superare un disagio.

Nei capitoli 1 e 2 abbiamo visto che, quando qualcuno è turbato, spesso i suoi sentimenti ci arrivano dritti al cuore. Cominciamo a sentirci turbate anche noi, magari perché è stato risvegliato il pensiero dei nostri problemi, passati e presenti. Se ascoltate il racconto di vostro figlio come se la cosa narrata stesse capitando a voi, non avrete il necessario distacco per esaminare la situazione in modo oggettivo. Siete travolte dal ricordo di periodi difficili o dolorosi, vengono risvegliate vecchie emozioni e vecchi conflitti. E allora quello che per il bambino poteva essere solo un momentaneo disagio viene ingigantito e diventa un trauma. Dobbiamo fare attenzione a non lasciarci sopraffare dalle sofferenze dei nostri figli. Prestando loro ascolto e accogliendo i loro sentimenti, ma restando abbastanza distaccate da poter riflettere sulle cose, possiamo sdrammatizzare un'esperienza negativa e proporre un punto di vista diverso. Questo aiuterà il bambino a ridimensionare il problema e a considerarlo un ostacolo che è in grado di superare. Se non riusciamo a farlo, rischiamo di renderlo ancora più confuso e preoccupato.

Il signor D. da piccolo era un bambino minuto, di aspetto piuttosto gracile, che i compagni più robusti molestavano e prendevano in giro. All'epoca si era sentito una vittima ed era stato incapace di tener testa ai prepotenti. Ne aveva parlato ai genitori e agli insegnanti, ma in modo vago, per paura della punizione di cui era stato minacciato. Quando sentì il figlio Tim, di sette anni, lamentarsi perché Roger lo aveva picchiato durante l'intervallo, il signor D. si arrabbiò molto. Conosceva i genitori di Roger e voleva far loro un colpo di telefono per lamentarsi del comportamento del figlio. Tim lo supplicò di non farlo e cercò di spiegargli che Roger non l'aveva fatto apposta. Il signor D. era propenso a intervenire, memore della sua esperienza infantile e della paura di "andarlo a dire", supponendo che Tim fosse nella stessa situazione. Si comportò piuttosto duramente anche con Tim perché non gli permetteva di intervenire. Riviveva la propria esperienza e cercava di offrire a Tim la protezione che pensava di non aver avuto, di essere il papà forte e protettivo che aveva tanto desiderato. E poi voleva dare una lezione ai prepotenti di allora affrontando quelli di adesso. Il figlio però lo convinse a non intervenire. Alcuni giorni dopo le famiglie si incontrarono e il signor D. andò sull'argomento. I genitori di Roger riferirono la versione del figlio: sembrava che i bambini avessero litigato e si fossero picchiati. Il giorno dopo la cosa si era risolta ed erano tornati amici.

Non sarebbe servito che il signor D. telefonasse in collera ai genitori di Roger. Avrebbero finito per litigare, proprio come avevano fatto Tim e Roger. Benché non ne fosse consapevole, il racconto del figlio che era stato picchiato aveva risvegliato in lui sentimenti di quando aveva la stessa età. Emotivamente, in quel momento aveva smesso di essere un genitore e i suoi sentimenti erano quelli della sua infanzia. Gli era difficile riconoscere che l'esperienza di Tim era diversa e rispondere a quelle che erano le sue reali esigenze. Tim non chiedeva il suo aiuto per risolvere un problema esterno con un bambino prepotente, ma voleva poter piangere sulla sua spalla perché aveva litigato con un amico, che era ciò che veramente lo turbava.

Anche lo scenario inverso potrebbe essere altrettanto vero. Un genitore che, malgrado le avversità, è riuscito ed ha avuto successo, può essere insensibile alla richiesta di aiuto di un figlio che subisce delle prepotenze. L'idea che lui ce l'ha fatta, nonostante la situazione difficile, può renderlo incapace di vedere che il figlio invece non ce la fa.

Altri fattori possono interferire con la nostra capacità di capire l'esperienza di un bambino.

I coniugi S. si sono stabiliti in Inghilterra come rifugiati. Nel loro paese erano entrambi professionisti, ma qui hanno fatto fatica a far quadrare il bilancio. I figli si sono inseriti e riescono bene a scuola. Tuttavia Mary, che ha nove anni, dice che i compagni la prendono pesantemente in giro. Le tirano i capelli, la insultano e le fanno i dispetti. Adesso ha quasi paura ad andare a scuola. I genitori sono sconvolti, ma si sentono impotenti. Non intervengono e lasciano che Mary se la cavi da sola.

In questo caso il disagio di Mary ricorda ai genitori la paura ben più estrema che hanno provato prima di lasciare il paese, quando temevano di poter essere catturati e torturati. Il ricordo li disturba e lo vogliono cancellare il più presto possibile. Inoltre sentono che la loro condizione in questo paese è precaria. Hanno rapporti frequenti con l'amministrazione locale e con varie autorità e temono che andare a scuola a reclamare sia rischioso. Non vogliono essere considerati gente che pianta grane. La loro dipendenza dal sistema, verso il quale provano anche gratitudine, rende loro difficile criticare la scuola. Inoltre desiderano che tutto sia normale e temono anche il minimo soffio d'aria che potrebbe far beccheggiare la loro barca. Allora si irritano con Mary, pensano che provochi gli altri bambini e vogliono che si tolga d'impiccio da sola. Per loro è intollerabile ascoltare quello che dice e la loro reazione è tale che la bambina evita di tornare sull'argomento. Il loro atteggiamento è comprensibilissimo, ma non aiuta la bambina. Non sempre, purtroppo, le soluzioni che troviamo alle nostre difficoltà sono le migliori per tutti i membri della famiglia.

In ogni caso, l'importante è ascoltare il bambino, ma prestare anche attenzione a ciò che il suo racconto provoca in noi. Per poter aiutare nostro figlio dobbiamo cercare di capire cosa viene da lui e che parte hanno i nostri sentimenti. Non è facile distinguere e analizzare ciò che, emotivamente, appartiene a noi.

Restare nel presente

Osservando i sentimenti e le emozioni risvegliati in noi dai nostri figli ci troviamo a dover affrontare un problema che è più complesso di quanto possa sembrare a prima vista. Abbiamo visto che un no, per un bambino, può significare ben di più del semplice limite o della semplice divergenza di opinioni che rappresenta per noi. Anche noi spesso reagiamo al comportamento di nostro figlio in funzione del nostro punto di vista. I fatti hanno un significato che va oltre ciò che accade qui e ora.

Un problema nuovo che può capitare di dover affrontare con un bambino di questa fascia di età è quello del suo rapporto con il gruppo, del suo comportamento quando è lontano da noi per un periodo piuttosto lungo. Non ci preoccupiamo solo di come se la caverà, ma anche dei riflessi che potrà avere su di noi il suo modo di comportarsi. A tutti è capitato di vedere un bambino che a tavola mangia rumorosamente, rutta, fa smorfie, si dondola avanti e indietro con la sedia, interrompe la conversazione, si alza e va in giro. Invece di affrontare il problema quando si presenta, spesso un genitore parte per la tangente, immaginando ogni sorta di terribili scenari. E così comincia il discorsetto, o piuttosto l'arringa: "Spero che tu non ti comporti così fuori. Cosa penserà la gente? Come è possibile che tu impari qualcosa a scuola se ti distrai così facilmente? Ti abbiamo sempre insegnato le buone maniere, non ti è rimasto appiccicato niente? Se continui a dondolare con quella sedia finirai per cadere e farti male, così impari!" Il bambino non viene più sgridato per il suo comportamento; sembra quasi, invece, che sia in gioco tutto il suo futuro. Il problema non è cosa sta succedendo ma cosa succederà: si comporterà così per sempre, diventerà mai un essere civile? Sembra che ci sentiamo messi in discussione come genitori. Abbiamo fallito così miseramente?

Ho usato un esempio banale per cercare di mettere in evidenza cosa si scatena durante questi conflitti, che sono frequenti nella giornata di una famiglia media e possono assumere varie forme, ma hanno in fondo lo stesso filo conduttore. La nostra reazione non è produttiva, perché ci impedisce di vedere cosa sta realmente accadendo e ci proietta nel futuro. Così non troviamo la risposta adatta al momento presente. C'è un modo migliore di affrontare situazioni come queste? Sì, cercare di non perdere di vista ciò che sta accadendo adesso, di capire i sentimenti che la situazione suscita in noi e di tenere separate le due cose. Questo ci aiuta a conservare il senso delle proporzioni e a individuare una soluzione adatta.

Il senso di colpa

Molte delle nostre difficoltà nel dire no hanno origine da sensi di colpa. Cerchiamo di risarcire nostro figlio, perché pensiamo di averlo privato di qualcosa.

La signora K. ha due figli, Adam di cinque anni e Natasha di tre. Quando sono nati ha smesso di lavorare, ma recentemente il marito ha avuto bisogno di aiuto e lei da tre mesi gli dà una mano. La mattina deve correre a portare a scuola Adam, poi la piccola all'asilo e infine ha un'ora di viaggio per andare al lavoro. Fa una descrizione toccante del piccolo Adam che è costretta a lasciare tutto solo nel grande atrio, perché è sempre il primo ad arrivare. Il bambino ha appena cominciato le elementari e si sente molto spaesato. È ossessionata dall'immagine del suo bambino piccolo tutto solo nell'atrio immenso. Si è messa d'accordo con una ragazza che li conosce da quando sono nati e li va a prendere all'uscita da scuola, e riesce a tornare a casa quando arrivano anche loro. Ha pianificato e organizzato ogni cosa in modo che i bambini siano scombussolati il meno possibile. E infatti è presente sia all'inizio sia alla fine della giornata, escono e rientrano praticamente tutti insieme. Tuttavia si sente in colpa per essere così occupata. Una volta superati i momenti frenetici dell'inizio della giornata, il lavoro le piace moltissimo. Ma gli orari incalzanti, la mancanza di flessibilità, la paura che i bambini si possano ammalare la fanno star male. Parlandone usa parole come "colpa", "paura", "preoccupazione". Quando è a casa vuole risarcire i bambini, facendosi perdonare perché non si dedica esclusivamente a loro. Vuole che tutto in casa sia bello e piacevole.

È l'esperienza di molte donne che lavorano. Anche quelle che sono fuori casa solo durante l'orario scolastico si sentono in colpa, quando sono a casa, di avere altri problemi per la testa, di dover fare i mestieri o di dover fare delle telefonate. È difficile prendere le distanze dalle richieste dei bambini, che quando siete insieme vi vorrebbero tutta per loro. Il risultato è che spesso la madre crede al figlio quando le dice che è cattiva e antipatica. Finisce per avere di se stessa un'immagine di madre cattiva e cerca di riparare il danno che teme di aver causato. Questo la porta a dire sempre di sì e a non affrontare la rabbia e le critiche del bambino. La situazione è ancora peggiore per le madri che lavorano a tempo pieno e hanno bisogno di affidare i figli alle cure di altri per un tempo più lungo.

Anche i padri che lavorano molto e vedono poco i figli tendono a essere indulgenti con loro. Oggi l'immagine tradizionale del padre che impone limiti e disciplina è ormai antiquata e non corrisponde alla realtà. Sono pochi i bambini che si sentono dire la famosa frase: "Aspetta che torni a casa tuo padre". Tocca molto più spesso alle madri dire no. Che siano a casa tutto il giorno, logorate dalle richieste dei bambini, o lavorino fuori e siano stanche perché devono dividere il loro tempo fra tanti impegni, dire no non è facile. Spesso dicono "sì" solo per avere un po' di pace o per sentirsi meglio con se stesse. Purtroppo non è mai una risposta durevole né alle richieste dei figli, né alla preoccupazione di essere una buona madre.

Ma il senso di colpa interferisce anche in maniere più sottili.

Sophie ha dieci anni e sta facendo i compiti davanti alla televisione. La madre le dice di spegnerla. "Ma è il mio programma preferito", protesta la bambina. La signora M. accetta di lasciarglielo guardare, ma le fa notare che la distrae e che non le sembra una buona idea studiare in quel modo. Sophie continua, assicurando alla madre che i compiti sono quasi finiti, che sta solo copiando. Ma quando la madre li controlla, si accorge che Sophie ha fatto molti errori di distrazione, tralasciando delle parole e scrivendone alcune due volte. È arrabbiata con se stessa per non essersi dimostrata più decisa. Dice a Sophie che l'indomani non guarderà la televisione. Sophie piange e le dice che è cattiva, che tutti gli altri bambini guardano la televisione, è un episodio speciale, un momento cruciale della storia, e così via. La signora M. si sente crudele e il giorno dopo cede alle rinnovate preghiere della figlia.

Sono semplici conflitti che, magari in forme diverse, hanno luogo in tutte le famiglie. La signora M. non voleva litigare con Sophie e l'ha lasciata fare. Ma quando si è resa conto che a scapitarne erano i compiti si è sentita in colpa e ha reagito togliendo alla figlia la tv, una punizione per lei molto grave. È chiaro che ha difficoltà a definire con fermezza dei limiti e Sophie non fa fatica a dissuaderla. Così alla fine non c'è nessun limite. Ma passare dall'assenza di limiti all'imposizione di un limite che sembra eccessivo sia a voi che a vostro figlio non è un sistema efficace. Il risultato fu che la signora M. si sentì di nuovo crudele e in colpa. Un compromesso ragionevole sarebbe stato lasciar guardare a Sophie il suo programma preferito, insistendo però perché facesse i compiti in un altro momento, senza distrazioni. Questa scelta poteva comportare una discussione e un "no" deciso alle proteste della bambina, ma la madre sarebbe stata più tranquilla perché avrebbe acconsentito almeno a una delle richieste della figlia. Si sarebbe sentita meno crudele e questo l'avrebbe aiutata a dimostrarsi ferma.

In casi di divorzio o di separazione, spesso entrambi i genitori si sentono colpevoli e questo può interferire con la normale definizione dei limiti.

Tessa ha otto anni ed è l'unica figlia dei signori C., che si sono separati e hanno entrambi un nuovo compagno. Hanno un buon rapporto, Tessa vive con la madre, ma passa un weekend sì e uno no con il padre e la sua nuova moglie e gli parla tutti i giorni al telefono. Erano venuti da me perché Tessa aveva molti accessi d'ira, era piena di pretese e rendeva la vita impossibile se non otteneva quello che voleva. Il padre si definì un debole, incapace di dirle di no. Pensava anche che, se si fosse dimostrato gentile, anche lei lo sarebbe stata con lui. Voleva tutto il meglio per la figlia e l'idea che fosse infelice lo sconvolgeva. Si sentiva terribilmente in colpa perché non viveva più con lei e faceva fatica a non cedere a ogni sua richiesta. Anche la signora C. non ne poteva più perché il rapporto con la figlia era un continuo braccio di ferro. Era irritata con l'ex marito perché gliele dava tutte vinte, rendendole ancora più difficile dimostrarsi ferma. Quando li vidi insieme, notai che Tessa sembrava molto compiaciuta dei risultati ottenuti. Il principale effetto secondario del suo comportamento era che i genitori parlavano tutti i giorni di lei. Era riuscita a mantenere costante ed emotivamente intenso il contatto fra loro. Era un modo di tenerli insieme, concentrati su di lei. La bambina andava d'accordo con i nuovi compagni dei genitori e non aveva mai espresso apertamente, forse perché non ne era cosciente, ciò che provava per la perdita dei genitori come coppia. Sosteneva che per lei andava tutto bene. Lei non era consapevole di avere un problema, ma loro sì. Era come se cercasse di superare il suo dolore facendoli soffrire, riempiendoli di sensi di colpa e impedendo loro di vivere in armonia con la nuova famiglia. Privava anche se stessa della possibilità di una vita serena con l'uno o con l'altro, trasformando le case di entrambi i genitori in posti infelici. I genitori capivano che il divorzio era stato un grosso colpo per lei e facevano del loro meglio per consentirle un facile accesso a entrambe le situazioni, vivevano vicini e la bambina poteva telefonare sia alla madre che al padre in qualsiasi momento. Ma la loro riluttanza ad agire con fermezza le aveva permesso di continuare a guastare il tempo che trascorrevano insieme.

A volte i bambini sono talmente prigionieri della propria infelicità e della propria rabbia da diventare dei guastafeste, nei confronti sia di se stessi che degli altri. È compito dei genitori bloccare questo comportamento prima che si consolidi. Il signor C. non riusciva a dire a Tessa che non avrebbe risposto alla sua quinta telefonata nel giro di venti minuti, perché era prigioniero della fantasia che la bambina avesse davvero bisogno di tutte quelle telefonate. Era incapace di fermarsi un attimo a riflettere, rendendosi conto che le aveva appena parlato. Il senso di colpa per aver ferito Tessa, l'idea di averla in qualche modo abbandonata lo paralizzava e gli impediva di pensare. I comuni limiti che le avrebbe posto se fosse stato ancora in casa non valevano più. Questa mancanza di limiti spingeva Tessa a diventare una piccola tiranna che guastava i momenti che passava con gli altri. I genitori cedevano, nella speranza di non soffrire e di non far soffrire Tessa. Ma questo atteggiamento si ritorse contro di loro e la vita con lei diventò una continua prova di forza. Dei limiti imposti con fermezza l'avrebbero aiutata a capire che la vita era cambiata e a farsi una ragione del fatto che la separazione dei genitori significava che uno dei due non sarebbe più stato così facilmente disponibile. Avrebbe dovuto elaborare il lutto per la perdita, e anche loro avrebbero dovuto affrontare la rabbia della bambina. La scelta adottata da tutti i membri della famiglia fu invece di cambiare il meno possibile, di fare finta che la vita di Tessa potesse continuare a essere più o meno la stessa. Ma questo non è possibile, significa nascondere la verità. L'atteggiamento di Tessa di trovare tutto sbagliato, di chiedere continuamente delle gratificazioni era il suo modo di riempire il vuoto e di evitare di affrontare la realtà di non vivere più con entrambi i genitori. Tanto faceva, che alla fine la sua paura di essere rifiutata si concretizzava, perché i genitori vedevano con sollievo il momento di consegnarla all'altro.

Spesso i sensi di colpa ci inducono a riempire i nostri figli di cose materiali. Le case di oggi straripano di giocattoli, vestiti, divertimenti. Anche le famiglie più povere, non appena entrano i soldi, si sforzano di dare tutto quello che possono ai figli. Un fatto che mi colpì lavorando in un centro per giovani famiglie gestito dai servizi sociali fu quanto le madri spendevano per i figli. Il risultato è che i bambini crescono con l'idea che le cose siano a loro disposizione e debbano essere costantemente rinnovate. Si comportano come se avessero assolutamente bisogno di qualcosa, facendo leva senza volerlo sul nostro timore di non dar loro abbastanza, che si tratti di cose materiali o di tempo, attenzione, amore. Vogliamo compensarli per quello che ci pare di non aver dato, e diamo loro oggetti.

Ma così facendo rischiamo di privare il bambino di un'esperienza necessaria. Quando vogliono qualcosa, i bambini hanno la sensazione di averne bisogno. Ma noi, come adulti, siamo in grado di discernere e attraverso il nostro atteggiamento anche il bambino impara a distinguere fra desiderio e bisogno; è importantissimo che riesca a farlo, perché rischia altrimenti di essere sempre in balia di bisogni estremi, che non potranno mai essere soddisfatti del tutto. L'abitudine a ottenere e a buttar via facilmente, inoltre, priva il bambino dell'idea che esista qualcosa di speciale. Se un giocattolo si rompe, per risparmiargli un dispiacere viene immediatamente sostituito, ma così il bambino non fa l'esperienza di soffrire per la perdita di qualcosa e di superare poi il dolore. Così i giocattoli non possono assumere un significato emotivo e il bambino non impara ad affezionarsi profondamente a qualcosa. Ne risente anche il suo senso della realtà, la presa di coscienza che, se si rompe qualcosa, è danneggiato ed è possibile che non funzioni più.

Un'altra conseguenza positiva del fatto di non ottenere sempre quello che si vuole e di sentirsi dire ogni tanto no da un genitore, è la capacità di sopportare uno spazio vuoto. Come ho già avuto modo di sottolineare in altre parti del libro, se gli spazi vengono riempiti all'istante, non c'è posto per la creatività. Se un bambino ha un giocattolo per tutte le occasioni, non userà la sua immaginazione per inventare nuove combinazioni, per trasformare un oggetto in un altro. Una scatola sarà solo una scatola, invece che una potenziale casa di bambole, un pezzo di legno resterà in giardino senza poter diventare la bacchetta di un direttore d'orchestra, un fucile o qualunque altra cosa suggerisca la fantasia. Il fatto di avere sempre a disposizione l'oggetto specifico rischia di sviluppare solo i lati più concreti, a scapito della capacità simbolica, dell'inventiva, dell'immaginazione.

Inoltre, cosa ancora più importante, viene rinforzata la sensazione che uno spazio vuoto sia intollerabile. Stiamo dicendo a nostro figlio che non avere è terribile, che senza soddisfazione è perduto. In fondo gli stiamo trasmettendo l'idea che lui è quello che ha. Se un bambino lega la propria importanza a quello che possiede, la sua immagine di sé sarà sempre a repentaglio. Tollerando di non avere, invece, acquista più fiducia in se stesso e più consapevolezza di essere la persona che è, con un suo carattere, che è la cosa più preziosa di tutte, che nessuno gli può togliere. È questo senso del proprio valore, di essere apprezzati per quello che si è che aiuta a sopravvivere nei periodi di avversità. Da adulti ci capiterà di incontrare molte persone ambiziose che non possiedono questa sicurezza.

Specchio, specchio

È difficile comportarsi con fermezza se si ha l'impressione di agire ingiustamente. Negli anni della scuola primaria molti genitori trovano i figli decisamente irritanti. Apparteniamo a una generazione cresciuta con l'idea che i bambini vadano "rispettati". Pensiamo che questo significhi spiegar loro le cose, ma poi ci aspettiamo che siano anche d'accordo! Vogliamo avere il consenso per governare. È un modo come un altro di rifiutarci di riconoscere che sono diversi da noi e che stanno lottando per trovare il proprio modo di stare al mondo. Capiterà più di una volta che un bambino di sette anni sottolinei l'incoerenza della madre nell'educarlo e la faccia sentire irragionevole e in torto. Se i genitori sono costretti ad assumere una posizione difensiva, perdono terreno nella discussione. È importante, per lo sviluppo del bambino, che possa ribellarsi e criticare, che abbia un proprio punto di vista e lo esprima. Ma è ugualmente importante che l'adulto conservi la propria posizione e non si lasci trascinare in una lite da bambini. Per poter fare questo dovete riflettere bene prima di prendere una posizione. Ne siete veramente convinte? Se avete le idee chiare è molto più probabile che riusciate a comportarvi con fermezza, senza vacillare al primo attacco.

Ho già spiegato che il bambino si vede riflesso negli occhi della madre. Il corollario è che anche la madre si vede riflessa negli occhi del figlio. Nella fase in cui i bambini stanno cercando di far proprie le regole e le convenzioni, spesso adottano i modi di fare dei genitori. Hanno imparato a conoscere la loro visione del mondo e il loro modo di affrontare l'esistenza. Penso che una delle cose che ci disturbano di più sia ritrovare nei nostri figli degli aspetti di noi stessi, soprattutto se si tratta di qualità di cui non andiamo particolarmente fieri. Un bambino che litiga continuamente, che non lascia mai cadere un argomento, o che cede facilmente di fronte alle avversità può aver preso queste caratteristiche dal padre o dalla madre. In questi casi i genitori tendono a comportarsi con più durezza di quanto farebbero normalmente.

Abbiamo visto che, quando siamo in collera con i nostri figli, spesso noi stesse regrediamo e ci mettiamo al loro livello. Con i neonati siamo prese dal panico, con i bambini più grandi ci lasciamo andare ad accessi di collera e con i bambini della scuola primaria diventiamo piuttosto rigide, quasi arroganti e prepotenti. Non sempre le cose vanno così, ma quando il comportamento dei nostri figli ci coinvolge veramente, spesso regrediamo e diventiamo come loro. Ho cercato di scoprire cos'hanno i bambini di età compresa fra i cinque e i dieci anni che pare irritarci tanto, e penso che abbia a che fare con il loro tentativo di assomigliare agli adulti, come li vedono loro. È uno sforzo che continuerà per tutta la vita. Molti adulti affermano di non essere mai cresciuti, o almeno non del tutto, come se in qualche modo l'avessero fatta in barba a tutti gli altri. È come se conservassimo sempre quell'immagine infantile dell'individuo adulto – una persona superragionevole, riflessiva, controllata, che ha sempre ragione. Il bambino che si ribella, non ascolta e non ubbidisce rappresenta una minaccia per l'immagine che abbiamo di noi stessi come adulti e ci può trascinare in una battaglia rigida e ostinata per la posizione. Con i bebè e con i bambini più piccoli il nostro ruolo è chiaramente quello di genitore. Con i bambini più grandi, e a maggior ragione con gli adolescenti, possiamo avere l'impressione che la nostra posizione venga attaccata. Finiamo per chiederci: "Chi è il genitore qui?" La nostra sicurezza viene messa in crisi e, invece di agire ancora di più da genitori, cioè con in mente gli interessi nostri e di nostro figlio, ci comportiamo da pseudo-adulti, come il bambino che scimmiotta il genitore.

Le punizioni

Abbiamo visto che questa è un'età in cui la logica, la giustizia e la correttezza hanno molta importanza. I bambini stanno imparando a rispettare le richieste che vengono fatte loro e hanno bisogno di convincersi che siano motivate. È chiaro che confini e limiti sono utili, ma non è facile sapere come applicarli. Mia figlia Holly di dieci anni ci tiene molto che io scriva nel mio libro che è importante che gli adulti dicano no gentilmente, che non strillino e non sgridino troppo perché altrimenti, mi spiega, "i bambini smettono semplicemente di ascoltare". Sono d'accordo con lei. Ho parlato dei limiti che fanno sentire più sicuri i bambini, che costringono a una sorta di *stretching* i loro muscoli emotivi. Ma c'è un fondamentale problema di equilibrio e di motivazione. Se il "no" viene detto per rappresaglia o per amor di quiete è probabile che manchi il suo obiettivo. Non raggiungerà lo scopo nemmeno se è legato più alle nostre preoccupazioni che alla situazione del bambino. Se pensate di agire per il bene di vostro figlio, sarete più convinte e questo verrà trasmesso anche a lui.

Naturalmente vi potrà capitare di dover imporre la vostra decisione, magari con una punizione.

Georgion, un bambino di sei anni, un giorno si arrabbiò molto con il suo amico Jim e, in uno scatto di rabbia, ruppe un camion giocattolo. Dopo che l'amico se ne fu andato Georgion era molto infelice e voleva che gli comprassero un altro camion. La madre decise di non sostituire immediatamente il giocattolo, in modo che il bambino si rendesse conto delle conseguenze delle sue azioni. Gli disse anche che, siccome si era comportato molto male, per una settimana non avrebbe potuto invitare nessun amico a casa a giocare.

In genere, se si chiede il parere dei bambini sulle punizioni, si scopre che tendono ad aspettarsene e a immaginarne di ben peggiori di quelle che vengono adottate dagli adulti. Ed è giusto che sia così. Le punizioni sono veramente efficaci se promuovono lo sviluppo. Quelle che terrorizzano un bambino o lo costringono alla sottomissione non ne fanno certo un individuo più sano. Ciò che rafforza il bambino è sapere che i genitori si danno da fare, dedicano del tempo a pensare a lui e sono pronti ad affrontare disagi, discussioni e liti per il suo bene. Questo significa che la punizione più efficace è quella che ha a che fare con il misfatto ed è in proporzione ad esso, come nel caso di Georgion. È qualcosa di specifico, e non comporta un giudizio globale sul bambino. È abbastanza forte da farlo riflettere, ma non tanto grave da inibire l'apprendimento. È qualcosa in cui credete e a cui vi atterrete, resistendo alle insistenze di vostro figlio e affrontando il rischio di essere impopolare.

È importante anche che le punizioni siano messe in relazione con il bambino, e non con voi. Se dite a un bambino che il suo comportamento vi fa star male lo caricate di una responsabilità esagerata, che non gli compete. Capita di ritrovarsi a dire cose del tipo: "Se vai avanti così finirai per farmi ammalare". Naturalmente non è vero. Lui è responsabile del suo comportamento, voi siete responsabili di come vi fa stare.

Ci piace considerarci dei bravi genitori e immaginiamo che questo significhi che i nostri figli ci considerano tali. Quando siamo in conflitto con loro ci è difficile tenere a mente il quadro generale. Quando diciamo no e loro protestano e ci accusano di essere orribili, ci sentiamo davvero dei genitori malvagi, come siamo ai loro occhi. Per questo può diventare difficile dire no. Dobbiamo essere pronte a essere criticate, farci forza e ripeterci che, dopo tutto, non siamo così cattive.

Sommario

Negli anni della scuola primaria il bambino non trascorre più la maggior parte del suo tempo in famiglia, ma a scuola. Si deve adattare a far parte di un gruppo e deve soddisfare molte più richieste di prima. Il suo mondo diventa pieno di regole e di doveri. Dire no è un modo di stabilire limiti e distinzioni, creando uno spazio fra desideri, pensieri e azioni. In questa fascia di età balza in primo piano il problema del controllo e dell'autocontrollo. I bambini della scuola primaria amano le regole e le strutture. Li aiutano a prendere le distanze dai loro sentimenti più infantili, che devono essere tenuti a freno perché i bambini possano concentrarsi e imparare. A questa età i bambini provano piacere a usare e a esplorare il linguaggio, la ragione e le abilità intellettuali. Il bambino più piccolo deve imparare a camminare, a correre, a maneggiare piccoli oggetti, a fare le cose con destrezza, a padroneggiare la lingua e la comunicazione. Fra i cinque e i dieci anni il bambino lavora a un canovaccio più vasto, e con un controllo più fine. Deve farsi degli amici, risolvere i conflitti, trovare un proprio posto nel gruppo sociale. Perché possa far questo e si apra a nuovi rapporti, nuovi pensieri, nuove capacità, nuove cose da imparare, deve partire da una base sicura. Si deve sentire un individuo distinto dai genitori, deve credere in se stesso ed essere convinto che il mondo abbia molto da offrire. Dicendogli no, nell'accezione ampia e simbolica in cui ho usato fin qui il concetto, lo avremo aiutato a capire chi è lui e chi siamo noi e ad acquisire la capacità di decidere come rapportarsi al mondo.

4.

L'adolescenza

Non penso di contare qualcosa,
ma a volte anche per me
il cielo e la terra sono troppo piccoli

KUJO TAKEKO

Un periodo di trasformazioni

In molte culture, storicamente, l'adolescenza non è stata riconosciuta. Non appena erano fisicamente maturi, i maschi lavoravano e le femmine partorivano. Nella nostra società non è chiaro se un adolescente è un bambino, un teenager o una giovane persona. Si direbbe inoltre che l'adolescenza duri sempre più a lungo. In termini di psicoterapia possiamo considerare adolescente anche una persona intorno ai vent'anni, se dipende ancora da figure parentali, come è il caso dello studente che vive in famiglia. Naturalmente il mondo della prima adolescenza è molto diverso da quello dell'adolescenza più matura, ed esistono inoltre parecchie differenze di genere. Gli psicologi la considerano una fase critica, una fase in cui il bambino, dopo un periodo più tranquillo di consolidamento, torna ai drammi della prima infanzia, rivisitati nel contesto di una sessualità che si sta sviluppando. L'adolescenza viene spesso descritta come un periodo difficile da superare, le caricature degli adolescenti in famiglia rimandano sempre a situazioni turbolente. Ciononondimeno è un periodo di grandi opportunità di sviluppo. Anche per i genitori può essere un periodo commovente ed esaltante, questo in cui vedono il loro bambino rompere il guscio e diventare un adulto.

La questione del dire no diventa più complessa: dobbiamo ancora imporre dei limiti, e in che maniera? È giunto il momento, inoltre, di porre delle limitazioni più rigorose anche a noi stessi, in modo da favorire la crescita dei nostri figli. Dobbiamo concedere loro più libertà di prima, perché possano esplorare da soli. La domanda principale che hanno in testa queste giovani persone riguarda la loro identità: "Chi sono io?"

La prima adolescenza, dai dodici ai quattordici anni, è un periodo di grandi cambiamenti. La crescita fisica è più rapida che in qualsiasi altro periodo, tranne che nell'utero. Fa la sua comparsa la sessualità. Spesso i genitori si lamentano che i figli sono cambiati, dicono di avere in casa degli estranei. Dimenticano però che il bambino può sentirsi estraneo a se stesso. Il corpo subisce delle trasformazioni enormi e questo suscita molte emozioni. Gli ormoni imperversano, il bambino si può sentire triste, esaltato, eccitato; in complesso prevalgono gli estremi. Si preoccupa enormemente del proprio corpo, delle sue sensazioni e delle apparenze, si chiede in continuazione che aspetto ha, come viene percepito dagli altri. Lati della sua persona a cui ormai era abituato cominciano a cambiare. Alcune di queste trasformazioni, che gli adulti invariabilmente commentano, sono fin troppo visibili. Il ragazzo a cui comincia a crescere la barba o la ragazza che si sta abituando alla forma diversa del suo corpo vengono spesso accolti con esclamazioni di stupore: come sono cresciuti, ormai non sono più dei bambini, sono dei ragazzi fatti. Un'esperienza che i ragazzi sentono molto privata è visibile a tutti. Le femmine devono affrontare non solo lo sviluppo fisico, ma anche l'inizio delle mestruazioni e la consapevolezza di poter diventare madri e di potersi quindi assumere delle responsabilità adulte, anche se sono ancora immature. I maschi sono meno consapevoli di questo, ma celano ansie rispetto alla propria virilità, che spesso associano alle conquiste e ai successi. Devono anche convivere con la strana esperienza della voce che cambia, che può davvero sembrare un'altra persona che irrompe da dentro di loro in maniera improvvisa e imprevedibile.

Gli adolescenti piangono spesso e, se hanno abbastanza confidenza con i genitori, comunicheranno loro il proprio disagio con frasi del tipo "Sono triste", "Mi sento solo", "A scuola non sono simpatico a nessuno", "Tutti ridono di me", seguite dalla constatazione "Ma non so perché". Anche se tutto dimostra il contrario – gli amici telefonano, il bambino è ammirato e la sua compagnia viene ricercata – questi sentimenti di insicurezza e di isolamento sono molto reali.

Un altro fatto sconcertante è che da un giorno all'altro si possa sentire tanto diverso: un momento è al settimo cielo e un attimo dopo è immerso nella più profonda disperazione. Il suo umore e la sua immagine di se stesso ondeggiano come fronde al vento. L'adolescente si sente frammentato, non sa su cosa può contare. Domani sarà felice o totalmente disperato? Gli stessi genitori non sanno chi sarà la persona a cui si rivolgeranno. Suzy è di umore allegro e fiducioso e la mamma può affrontare senza problemi il discorso del disordine della sua camera, o rischia di provocarle una crisi di depressione? L'adolescente fluttua fra momenti di indipendenza e relativa maturità e altri di infantilismo, e i genitori sono spiazzati. Se parlate al bambino che c'è ancora in lui, l'adolescente potrebbe criticarvi perché vi mostrate condiscendenti e non vi fidate di lui. Se lo trattate da adulto si può sentire incalzato e poco accudito. Questi problemi emergono spesso nei conflitti più banali. Per esempio vuole sapere a che ora comincia un film e voi gli dite di telefonare al cinema. Vi accusa di considerarlo un adulto, vi dice che le madri dei suoi amici non pretendono che i figli facciano queste telefonate. Poi, quando gli chiedete con chi esce e come tornerà a casa, vi risponde che non è un bambino e che non dovete essere iperprotettive. A questo punto sembra che, qualunque sia il suo aspetto a cui vi rivolgete, sbagliate sempre perché non tenete conto dell'altro. Questa imprevedibilità dà l'impressione a tutti, in famiglia, di camminare sulle uova. Il problema del dire no e della definizione dei limiti diventa delicato e molte famiglie, a questo punto, hanno l'impressione di fallire.

Casa: una base sicura

In questo periodo di cambiamenti, di insicurezze e di movimento, il bambino che cresce può avere la sensazione di aver perso il controllo di se stesso. Proprio adesso è particolarmente importante non lasciarsi invadere e sopraffare dai suoi sentimenti. Nel capitolo 1 ho parlato della capacità di una madre di contenere il suo bambino, di trasformare sentimenti paurosi in emozioni più accettabili. È una funzione importantissima anche con gli adolescenti, ma assume altre forme. Quando il neonato piangeva disperato, potevate limitarvi a tenerlo in braccio e a consolarlo. Il teenager dimostrerà il proprio disagio in maniera completamente diversa, passando dalla collera alla provocazione, dalla paura alla tristezza e alla confusione; sarà sommerso da tutta la gamma delle emozioni. A volte lo potremo aiutare parlandogli, standogli accanto quando è in crisi. Ma, più sottilmente, è la situazione che c'è in casa, l'ambiente che creiamo per lui che lo farà sentire al sicuro. La nostra capacità di stabilire delle regole e di attenerci a esse, di avere le idee chiare su cosa è giusto e cosa non lo è, contribuiranno a fargli sentire che ha una base sicura, dalla quale può avventurarsi nel mondo. La chiave, per noi, è essere forti e flessibili.

Possiamo sorreggere fisicamente i nostri figli quando si sentono vacillare, ma più che altro li teniamo nella nostra mente. È uno dei modi che abbiamo per dar loro fiducia. I genitori devono cominciare ad accogliere gli aspetti nuovi, diversi del figlio. Devono rivedere la propria immagine di lui, come lui si adatta ai cambiamenti che sente avvenire dentro di sé. Come abbiamo visto anche in altri capitoli del libro, in parte sviluppiamo il senso di noi stessi, di chi siamo, vedendoci riflessi negli occhi degli altri. Ci conosciamo meglio vedendo come gli altri reagiscono a noi, osservando le emozioni che suscitiamo in loro. Se anche noi cambiamo da un giorno all'altro, diventa molto difficile per nostro figlio ricevere un messaggio chiaro. I genitori devono affrontare il compito oneroso e problematico di essere aperti ad accogliere un individuo nuovo, pur avendo la responsabilità di tenere in mente il bambino che conoscono.

Per l'adolescente può essere una grande fonte di stabilità sapere che i genitori hanno fiducia in lui, sanno che il bambino che hanno conosciuto fino a quel momento esiste ancora e rimarrà dentro alla nuova persona che si sta sviluppando. Come genitori, l'importante contributo che possiamo dare è quello di accettare la ricerca di identità di nostro figlio e le molte sembianze che può assumere finché trova quella che preferisce, forti della certezza che il nocciolo della sua personalità è buono. Non è facile restarne convinti di fronte a un ragazzino ribelle, sporco, antisociale e quant'altro. Ma il fatto di vedere riflessa nei vostri occhi questa visione positiva di lui accrescerà la sua autostima e lo aiuterà a fare scelte sagge. Non intendo naturalmente invitarvi a chiudere gli occhi di fronte ai problemi e alle difficoltà, e nemmeno a sottostare al ricatto che se vi fidate di lui non vi deluderà. Voglio solo sottolineare una fiducia di base in vostro figlio, che nasce dalla convinzione che avete fatto del vostro meglio per lui e che è arrivato il momento che cominci ad avventurarsi da solo nel mondo.

Dei limiti ragionevoli

Nei capitoli precedenti abbiamo visto che una struttura, delle regole e dei limiti danno sicurezza ai bambini. Nell'adolescenza le regole vengono spesso rifiutate, i limiti vengono considerati frustranti e a volte addirittura paralizzanti. Significa che vi dobbiamo rinunciare? Gli adolescenti hanno bisogno di volare, di essere quelli che infrangono le regole. Ancora una volta ci troviamo a dover fare una scelta di equilibrio. L'esigenza è duplice. Innanzitutto, nella prima adolescenza i ragazzi hanno bisogno di genitori contro cui lottare, con cui litigare. Proprio come il neonato, che può aver bisogno di scalciare contro la vostra mano per misurare la propria forza e per capire fin dove può arrivare, anche l'adolescente ha bisogno di una certa resistenza per esplorare fino a che punto si può spingere. È importante consentirgli di farlo e non sforzarsi troppo di essere un genitore "bravo", quando quello che vuole è lottare contro il genitore "cattivo" che siete per lui in questo momento. Magari il litigio con voi non è altro che un modo per scoprire quello che pensa veramente; rifiuterà il vostro punto di vista per cercare una propria strada. Insistendo perché i vostri figli siano d'accordo con voi o riconoscano che siete dalla loro parte non li aiutate ad avventurarsi nel mondo. Avere un conflitto e risolverlo, invece, contribuirà a renderli più forti.

E poi, naturalmente, ci sono i momenti in cui è indispensabile dire no con fermezza. A volte il bambino desidera veramente che gli imponiate delle restrizioni; è spaventato o preoccupato di qualcosa, ma non vuole perdere la faccia di fronte agli altri, che lo considerano un tipo avventuroso.

Shabana ha dodici anni. I compagni di scuola le avevano proposto di andare con loro a fare compere in un mercatino domenicale situato in una parte piuttosto malfamata della città. Era eccitata all'idea, ma anche nervosa. Più insisteva con la madre per andare, più diventava chiaro che i suoi sentimenti in proposito erano molto contrastanti. Voleva mostrarsi entusiasta dell'avventura, ma in realtà aveva paura. La madre non le diede il permesso di andare. Shabana si arrabbiò moltissimo con lei, accusandola di essere iperprotettiva e ingiusta. Ma il giorno dell'uscita fu allegra e affettuosa con la madre, chiaramente sollevata per aver potuto dire agli amici che le sarebbe piaciuto moltissimo andare, ma la mamma le aveva detto di no.

In una situazione piuttosto comune come questa l'adolescente può continuare ad atteggiarsi a temerario, mentre a voi tocca limitarlo, che è poi ciò che, segretamente (e a volte apertamente), vuole e cerca. Lo stesso vale per molte situazioni quotidiane, quando magari lo invitate a non stare alzato fino a tardi perché vedete che è esausto, o quando vuole uscire con degli amici molto più grandi e voi gli fate notare che per lui valgono ancora le solite regole, che magari per i suoi compagni non valgono più.

L'adolescente è appassionato e vi sfida con convinzione. È importante che senta nella vostra voce un'eco delle sue emozioni. Se rispondete con molta calma, o, viceversa, salite molto più su di tono, può avere l'impressione che non abbiate realmente sentito quello che vi ha detto. Non sarà sicuro di avervi raggiunte. È importante che reagiamo con irritazione alla loro sfida, che anche noi siamo turbate dalle loro emozioni. Conta molto, insomma, non solo il modo in cui esprimiamo le regole, ma anche il modo in cui reagiamo quando vengono messe in discussione.

La nostra stessa posizione diventa incerta perché non siamo mai sicure di cosa è giusto per lui. Allora possiamo cambiare idea. Per lui conta sapere che state pensando a quello che dice e che anche voi siete alle prese con un dilemma. Lo aiuta saperlo; gli fa sentire che siete aperte, e non rigide. È di fondamentale importanza, quando siamo insicure, essere flessibili, e non cedere solo perché vogliamo evitare un conflitto o non sopportiamo la disapprovazione.

Tutto sommato, a questa età, possiamo offrire soprattutto la nostra opinione. Gli adolescenti ci possono disobbedire e sfidare in modo ben diverso dai bambini piccoli. Possono uscire di casa, possono far del male a se stessi o a voi. Le regole vengono rispettate più che altro perché sono state accettate ed esercitano una pressione dall'interno. E poi sono rafforzate dal rispetto reciproco. Se un bambino sa che i genitori tengono a lui è più probabile che rispetti le loro decisioni, e d'altra parte se i genitori sanno che il figlio è aperto e onesto ascolteranno il suo punto di vista. Ci saranno comunque dei momenti in cui bisogna far valere le regole, non lasciar uscire i figli, privarli di qualche divertimento. Come ultima risorsa può essere necessario ricorrere a un aiuto esterno.

E loro, gli adolescenti, come vedono l'imposizione di limiti? Ho parlato di questo libro a molti giovani teenager e ho scoperto con stupore che avevano le idee molto chiare sul fatto che si aspettavano e volevano che i genitori stabilissero delle regole. Mi sembra che le loro opinioni siano molto rappresentative.

• Vogliono che i genitori, con un semplice "Ti fa male", impediscano loro di fumare e di bere, perché pensano che abbiano il compito di proteggere i figli dalle cose "cattive". Questo non significa che garantiscano di accontentarli, ma sperano comunque che si comportino in questo modo. Molte regole sembrano loro sensate. I genitori che insistono per avere certe informazioni comunicano un messaggio piuttosto chiaro. Se per esempio volete sapere dove va e a che ora tornerà a casa, gli date libertà entro un certo quadro. Affermate che i limiti, di tempo e di spazio, sono importanti. In genere si fanno queste richieste per accertarsi che non corra dei rischi e di poterlo raggiungere in caso di emergenza. Queste preoccupazioni fanno sentire ai ragazzi che ci si prende cura di loro. Se queste condizioni non sono soddisfatte potete rifiutarvi di lasciarli uscire. Potranno ribellarsi, accusarvi di non fidarvi di loro e così via. Dovete valutare se è davvero così, o se state agendo per il loro bene, oltre che per la vostra tranquillità. Se, malgrado le proteste e le insistenze, mantenete la posizione presa, date loro l'impressione che siete pronte a lottare per il loro bene e che non permetterete che corrano dei rischi per colpa vostra o di altri. Questo contribuisce enormemente ad accrescere la loro autostima e la loro sicurezza.

• Hanno un gran desiderio che i genitori si fidino di loro e siano pronti a lasciarsi convincere da un buon argomento; insomma apprezzano la flessibilità. Ancora una volta, la disponibilità e la capacità di ascoltare danno all'adolescente l'impressione che state pensando proprio a lui. Non state semplicemente applicando delle regole arbitrarie. Il vostro "no" significa che vi interessate a lui. Siccome sa che potete cambiare idea, è inevitabile che siate sottoposte a molta pressione. Spesso i genitori mantengono rigidamente il loro "no" per evitare che il conflitto si trascini. Ma, se state ad ascoltare vostro figlio, che la decisione finale sia un "sì" o un "no", sarà comunque collegata a quello che è successo fra voi. Alla fine magari vi sentirete malissimo e vostro figlio penserà che siete un mostro. Ma in realtà avrete riflettuto su quello che vi ha detto e avrete deciso di conseguenza. Con il vostro comportamento, inoltre, gli dimostrate che, una volta considerati tutti gli elementi in gioco, si possono mantenere le proprie scelte, anche a rischio dell'impopolarità.

• Sono convinti che le regole vadano stabilite presto, in modo che con l'adolescenza non insorgano troppi conflitti. Come esempi riportano fra l'altro i compiti scolastici e l'aiuto nei lavori domestici. Mi hanno messa in guardia dai rischi della corruzione: "Se paghi qualcuno perché faccia qualcosa, poi vorrà essere sempre pagato!" Hanno parlato della difficoltà di distinguere fra un "no" detto per il loro bene e un "no" che pone una questione di fiducia. Sono tutti d'accordo che spesso un "no" può suonare come una mancanza di fiducia, oppure farli sentire poco amati o discriminati rispetto a un fratello maggiore. Danno molto peso al fatto che i limiti rientrino nella norma e pensano che i genitori debbano verificare, parlando fra loro, cosa è generalmente consentito. Mi hanno fatto notare quanto debba essere brutto avere dei genitori iperprotettivi, che ti privano dell'esperienza di far parte del branco. Hanno poi osservato come sia difficile dire "no" agli altri, soprattutto ai ragazzi particolarmente popolari, su cui si vuole fare una buona impressione. Sembra sia più facile dire no agli estranei piuttosto che alle persone che si apprezzano, o che si stanno ancora facendo un'idea su di voi.

Le risposte ragionevoli e riflessive degli adolescenti sul problema dei limiti sono in stridente contrasto con l'esperienza vissuta da molti genitori e da molti figli quando sono nel bel mezzo di una lite accesa. Ma sono servite a ricordarmi che l'adolescenza non è solo un periodo di crisi, come viene spesso descritta, un'epoca in cui tutte le regole e tutti i limiti vengono attaccati. È anche l'epoca in cui si formano nuovi codici etici, in cui i ragazzi stanno cercando di capire che tipo di adulto, e poi che tipo di genitore vogliono essere, che vita vogliono vivere. È un periodo di grandi opportunità.

Fermezza

Benché sia i genitori che gli adolescenti riconoscano l'importanza delle regole, a volte è arduo comportarsi con fermezza.

I coniugi P., una coppia di professionisti, hanno due figlie di sedici e quindici anni. Il padre è stato spesso all'estero per lavoro e l'educazione delle bambine è stata affidata prevalentemente alla madre. La signora P. proviene da una famiglia piuttosto rigida e da ragazza ha avuto molta paura del padre. Quando le bambine erano piccole aveva ripetuto gli schemi a cui era abituata, imponendo loro un regime molto severo. Le bambine erano a letto per le sei di sera, la casa era sempre immacolata, non c'erano praticamente giocattoli in giro. La madre di un'amichetta commentò che "facevano sembrare gli altri bambini degli animali della giungla". La signora P. trattava le figlie più o meno come era stata trattata lei, benché non avesse avuto un'infanzia felice. Le sembrava di non conoscere nessun altro modo di agire.

Quando le bambine cominciarono a stare insieme agli altri, sia loro che la madre incontrarono esperienze diverse. Alla signora P. vennero dei dubbi; dopo tutto la sua esperienza non le era piaciuta. Provò allora a fare quello che vedeva fare alle altre madri, diventò più indulgente e soprattutto smise di usare le mani. Però aveva la sensazione di non avere niente con cui sostituire quei comportamenti, di non conoscere altri modi di porre dei limiti. Quando le bambine erano piccole la cosa era ancora gestibile. Ma erano entrambe intelligenti e decise e, crescendo, le ritorsero contro i suoi stessi argomenti e ci furono terribili litigi, in cui tutte urlavano per difendere il proprio punto di vista. C'era poco senso della gerarchia e del rispetto; prima l'obbedienza era basata sulla forza e sulla paura, adesso erano tutte uguali e tutte ugualmente infelici.

La situazione divenne quasi intollerabile quando la maggiore, Jessica, compì sedici anni; la madre non ce la faceva più a sopportare i litigi. Jessica aveva superato gli esami con buoni risultati e, con sorpresa di tutti, si impuntò per andarsene di casa e seguire un tirocinio. Ci furono molte discussioni sui pro e contro della scelta. I genitori pensavano che non fosse una buona idea, la ragazza era troppo giovane per gestirsi da sola, avrebbe perso gli amici che si era fatta a scuola e si sarebbe trovata isolata in un gruppo composto presumibilmente di persone molto più grandi di lei. Erano preoccupati anche per gli altri rischi che avrebbe corso trovandosi con persone più adulte, soprattutto uomini, invece che con i ragazzi a cui era abituata. Jessica difendeva la sua scelta non per i vantaggi che avrebbe comportato, ma criticando la sua situazione attuale, il modo in cui veniva trattata e lamentandosi perché a casa era molto infelice.

I genitori, pur sapendo che non era la soluzione migliore, le permisero di andare via, più che altro per riavere un po' di pace e di serenità. Si dissero inoltre che ormai era la sua vita e che poteva fare quello che voleva. Adesso, come era prevedibile, Jessica è molto scontenta della sua scelta e irritata con i genitori perché non si sono imposti, non sono stati capaci di agire con fermezza dicendole un chiaro no, costringendola a restare ancora un po' in famiglia come figlia, non ancora pronta ad assumersi responsabilità adulte.

Questo caso piuttosto drammatico illustra che rischi può comportare il fatto di non avere fin dall'inizio un senso chiaro e ragionevole dei limiti. La signora P. non sapeva cosa voleva dire stabilire dei limiti in modo fermo ma gentile, perché non era stata questa la sua esperienza da bambina. Non pensava che fosse utile avere dei confini precisi, quanto piuttosto delle regole a cui obbedire. Perciò non le era chiaro che, mostrandosi ferma, poteva fare il bene delle sue figlie. Anche l'isolamento in cui viveva, con un marito sempre impegnato e assente, l'aveva resa più rigida e preoccupata che in casa non ci fosse caos. Le figlie sentivano che la madre aveva paura di loro e più di una volta l'avevano accusata di non amarle. Ma, come spesso succede, in seguito questo sentimento si trasformò da una collera genuina in un'arma da usare contro la madre. Quando la signora P. si rese conto di non poter continuare a comportarsi come avevano fatto con lei i suoi genitori, si ritrovò a corto di risorse, simile a un bambino che si arrabatta per capire come cavarsela. Non era la condizione più adatta perché, come accade normalmente, il disagio delle bambine potesse essere contenuto da un adulto. Era come se in casa ci fossero tre bambine. In situazioni del genere un bambino può sentirsi quasi orfano. Una presa di posizione ferma nei confronti di Jessica, motivata dal suo stesso interesse, avrebbe confermato la sua condizione di ragazza che sta crescendo, di adolescente, non ancora adulta. Purtroppo adesso è come una pseudoadulta, gettata prematuramente nel mondo.

Per poter stabilire dei limiti certi e ragionevoli dobbiamo averne avuto qualche esperienza e averli trovati utili. Allora il nostro comportamento scaturisce da una fiducia interiore, che si comunica ai nostri figli.

Il ruolo del genitore

Se i genitori non fanno i genitori è facile che sorgano problemi, a scuola e a casa.

Hari, un dodicenne molto intelligente, aveva dei problemi comportamentali a scuola e riusciva con fatica a controllare la collera a casa: sbatteva le porte, urlava e disubbidiva. A scuola era sempre nei guai. Nel corso delle sedute raccontava di aver subito delle prepotenze a scuola, ma di non averne parlato ai genitori, perché pensava che non sarebbero stati in grado di affrontare la cosa. Non li riteneva capaci di un intervento efficace. Era molto più intelligente dei genitori, i quali spesso, pur di evitare uno scontro, accondiscendevano ai suoi desideri. Quando cercavano di far valere la gerarchia, si ribellava e li metteva a tacere urlando; i genitori cedevano e si sentivano impotenti. Nelle sedute parlava spesso al posto dei genitori, e il terapeuta doveva fargli notare che si stava rivolgendo a loro, e non a lui. La sua posizione in casa non era quella normale di un figlio; conosceva nei minimi particolari gli affari dei genitori, i loro debiti, le scadenze di pagamento e così via.

Poteva sembrare una posizione privilegiata, di potere, ma in realtà era al di sopra delle sue forze. Come nel caso dei piccoli prepotenti di cui abbiamo parlato nel capitolo 2, era angosciante essere nei panni di Hari. Si sentiva addosso delle responsabilità che non era in grado di assumersi. La terapia cercò di ricreare una situazione più equilibrata, restituendo il ruolo parentale al padre e alla madre. Hari dovette rinunciare a tenere tutto sotto controllo, ma in compenso poté comportarsi da bambino e svilupparsi a un ritmo più sano.

Se un adolescente ha troppe responsabilità, la crescita ne può risentire e possono manifestarsi dei sintomi fisici.

David, un ragazzo di quattordici anni, soffriva di capogiri e di terribili mal di testa. Era riflessivo e intelligente, ma l'ambiente in cui viveva era povero. La madre si comportava da adolescente, aveva tre figli avuti da uomini diversi e continuava a cambiare casa senza preoccuparsi troppo di cosa poteva significare per i figli lasciare la scuola e gli amici. Nella loro vita non c'era una figura paterna regolare, anche se la madre aveva sempre una storia con qualcuno. David decise di essere l'uomo di casa, era estremamente protettivo con i fratelli e si sentiva responsabile di preservare almeno un po' di normalità in famiglia. Faceva fatica a dire no alla madre e si assumeva molte delle sue responsabilità. I suoi dolori di testa erano una richiesta di attenzioni, richiesta che non poteva esprimere sul piano emotivo. Era come se essere malato fosse per lui l'unico modo di farsi accudire. Ritenemmo opportuno parlare alla madre di questa dinamica, cercando di togliere un po' di peso dalle spalle di David. Purtroppo non fu possibile fare niente, perché la madre stava bene così e rifiutò la terapia. Non capiva come il problema di David potesse avere qualcosa a che vedere con i sentimenti o con lei. Così, quando la tensione era troppo forte, David veniva curato con farmaci. I sintomi persistettero.

A volte le emozioni possono sfogarsi solo attraverso il corpo. In questo caso un figlio adolescente si è trovato addosso una responsabilità eccessiva a causa dell'infantilismo della madre e della sua incapacità di occuparsi dei figli. Qui è il genitore che non riesce a dire no a se stesso. Altre volte può essere il bambino che si sforza di assumere un ruolo parentale, per esempio in assenza del padre. In questi casi la madre deve essere molto determinata a non consentirlo, dicendogli no tutte le volte che cerca di svolgere un ruolo che non gli compete. È un compito non facile, che richiede coraggio.

A volte ci sentiamo così vicine ai nostri figli e alla loro esperienza che non riusciamo a distinguere i nostri sentimenti dai loro.

Peter ha undici anni ed è stato inviato al reparto di psichiatria infantile e adolescenziale perché trova molto difficile il passaggio alla scuola secondaria e ha cominciato a rifiutarsi di frequentare. È il maggiore di quattro figli e quindi non ha nessun modello di fratelli che abbiano effettuato felicemente questa transizione. Entrambi i genitori in passato hanno sofferto di depressione e sono persone piuttosto miti, che evitano gli scontri. La madre è presissima dal lavoro, mentre il padre lavora di notte e trascorre molto tempo con i figli; si comporta come un ragazzino cresciuto e gioca sempre con loro. Stanno cercando di incoraggiare Peter a crescere, gli hanno dato le chiavi di casa, ma lui non ci tiene particolarmente ad andare a scuola da solo. È molto attaccato al suo papà e comincia a rifiutarsi di frequentare la scuola. Quando lo costringono ad andarci va in crisi e fa delle sfuriate da bambino di due anni. A scuola passa il tempo nell'aula di sostegno, anche se non ha bisogno di un aiuto supplementare. Fa capire in tutti i modi possibili che non vuole crescere. I genitori sono molto preoccupati e tendono a rafforzare in lui l'idea che il mondo esterno sia un posto pericoloso. Sono iperprotettivi e quando si comporta da bambino piccolo lo trattano come se lo fosse davvero.

Il terapeuta stimolò i genitori a dimostrarsi più forti e più decisi. Cercò di trovare insieme a loro dei modi di rendere più attraente la scuola e l'idea di diventare grande. Si sforzò di separare le loro paure e le loro ansie da quelle di Peter. Il padre e la madre parlarono con l'insegnante del figlio, ed ebbero l'immagine di una scuola attenta ai bisogni dei bambini. Anche in questo caso vediamo che, a seconda delle fantasie e dei ricordi dei genitori, la scuola e il nuovo ambiente possono essere presentati come dei luoghi affascinanti o poco sicuri. È essenziale verificare di persona la situazione reale di nostro figlio, invece di limitarci a ricordare com'era la nostra. Essendo loro stessi più fiduciosi, i genitori di Peter riuscirono a incoraggiarlo a tornare a scuola. Gli presero una bicicletta per fare il tragitto e il ragazzino si sentì in generale più competente e capace di cavarsela.

Nel desiderio di essere sempre vicine ai nostri figli, spesso non riusciamo a prendere una posizione decisa e cediamo facilmente alle pressioni. All'origine di questo comportamento c'è la paura che un conflitto significhi minore intimità, comporti la rottura del legame speciale che abbiamo con loro. Litigare, essere arrabbiate sembra insopportabile. Ma il genitore che dice sempre sì, poi cova del risentimento. Anche l'adolescente è insoddisfatto, perché ha la sensazione di aver chiesto troppo e, se il genitore non dice "no" o non mantiene la decisione presa, finisce per sentirsi un prepotente o un guastafeste. Soprattutto negli ultimi anni dell'adolescenza i ragazzi affermano di sapere cosa pensano i genitori e di sentirsi poi in colpa quando fanno scelte diverse. Magari decidono di assecondarli proprio per evitare il peso dei sensi di colpa. Covare segretamente l'idea di essere sfruttati, manipolati, ricattati emotivamente è molto più pericoloso di un aperto litigio. Evitando i conflitti, ci precludiamo la possibilità di scoprire che le situazioni di disaccordo possono essere risolte. Se non si arriva mai allo scontro e non ci si accorge quindi che è possibile uscirne, lo spettro del litigio incombe e assume proporzioni esagerate.

I genitori possono essere riluttanti a dire no perché vogliono avere di se stessi l'immagine di persone gentili. Però se l'adolescente esagera finiscono per sentirsi, invece che generosi, sfruttati; rischiano inoltre di farne un individuo infantile, convinto che per lui tutto sia facile, perché i genitori sono stati sempre presenti. Nella serie televisiva americana *Friends* c'è una scena divertente in cui Rachel, una ragazza sui vent'anni, parla di andarsene di casa e cavarsela da sola. Va a vivere con degli amici e, quando torna a casa carica di borse della spesa, le chiedono come ha fatto a pagare. La ragazza sventola trionfante la carta di credito, e alla fine è costretta ad ammettere che i conti li paga papà.

Oggi c'è una generazione di vecchi teenager e di giovani sui vent'anni che fanno ancora molto affidamento sui genitori. In parte questo è dovuto all'elevato tasso di disoccupazione e alla difficoltà di trovare casa. Ma penso che dipenda anche dall'incapacità dei genitori di dire no alla dipendenza protratta dei figli. Occupandosi di loro possono privarli dell'esperienza di dover lottare e di doversela cavare da soli.

Nadia ha quindici anni e i suoi genitori sono divorziati. Ha passato gli anni dell'adolescenza a viaggiare da un continente all'altro per raggiungere il padre o la madre. Entrambi i genitori si sono risposati e stanno cercando di crearsi una nuova famiglia. La mia collega e io sentimmo parlare di lei nel corso della terapia di coppia a cui si era sottoposta la mamma con il nuovo marito. Erano venuti da noi preoccupati perché si sentivano sempre più distanti e non riuscivano ad andare d'accordo sul modo di trattare la figlia che la donna aveva avuto dal precedente matrimonio. Si accusavano a vicenda per i problemi che incontravano con Nadia, soprattutto nel campo delle regole. L'uomo diceva che la moglie si sentiva talmente colpevole per il fallimento del precedente matrimonio che concedeva a Nadia tutto quello che voleva. Nadia, con il suo comportamento decisamente disturbato e disturbante, dominava la famiglia. Rubava, stava fuori fino a tardi, mentiva ed era complessivamente una disadattata. Benché venisse dipinta come un personaggio insopportabile, pensammo che doveva essere spaventoso per lei sentire di non avere un posto fra loro.

Spesso gli adolescenti mettono alla prova gli adulti: fin dove arriverà la vostra sopportazione prima che decidiate di liberarvi di loro? Questo comportamento è presente in una certa misura in tutti i bambini, ma è più pronunciato nei bambini deprivati, che sono stati sballottati da una famiglia all'altra. È un modo di chiedere: "Quanto mi ami veramente?"

La spacconeria di Nadia era molto superficiale e il suo disagio non era profondamente nascosto. Quando riuscimmo a parlare con la coppia del risentimento che provavano per il fatto di dover gestire, oltre al figlio che avevano avuto insieme, anche una del precedente matrimonio, e del desiderio che a volte provavano di non avere con sé Nadia, riuscimmo anche ad affrontare il fatto che non si poteva liquidare il problema tacciando la ragazza di essere una disadattata. Capirono che c'era qualcosa di vero in quello che provava Nadia, nella sua sensazione che non ci fosse posto per lei nella famiglia; la sua presenza li irritava e a volte volevano liberarsene perché interferiva nel loro rapporto. Il fatto di riuscire ad ammettere certi sentimenti consentì loro di riflettere in modo più fattivo su come mettere insieme le due famiglie e su quale poteva essere il ruolo del nuovo compagno della madre.

Via via che si chiarivano le loro apprensioni circa la possibilità di creare una nuova famiglia e di armonizzarla con una già esistente, divenne più facile parlare del problema della responsabilità di stabilire confini e regole. Bisognava lasciare che la signora M. gestisse Nadia da sola, o dovevano affermare chiaramente che questa era la nuova famiglia, e che aveva le sue regole? Si sforzarono di far capire a Nadia, con il comportamento e con le parole, che naturalmente sarebbe sempre stata la figlia della signora M. e avrebbe sempre avuto un suo ruolo nella famiglia, ma lo avrebbe avuto anche il nuovo signor M. Man mano che il lavoro progrediva, cominciarono a creare uno spazio nella loro vita per i figli, che si rifletté fisicamente nel trasloco in una casa più grande. Avviarono e portarono avanti una comunicazione chiara con il padre di Nadia su cosa era meglio per la ragazza e presero delle decisioni su come e quando doveva stare con lui. L'obiettivo era che le visite si inserissero in un quadro di accordo fra le parti invece di essere una soluzione nei momenti di crisi, come era avvenuto in passato, quando la ragazza veniva spedita da una casa all'altra in modo che i genitori, a turno, avessero un po' di pace.

Il problema del posto dell'adolescente in famiglia si pone continuamente. È un ospite di un pensionato? È il figlio dei suoi genitori? È un fratello maggiore che si occupa dei più piccoli? Ha il compito di proteggere un genitore o di fargli da partner? Problemi analoghi sorgono in quasi tutte le famiglie e diventano spesso motivo di scontro. I genitori devono essere genitori, il figlio deve sentirsi sicuro che sono lì per starci, per essere i suoi genitori comunque lui si comporti. Per essere genitori devono sentirsi responsabili della propria casa e del tipo di famiglia che vogliono avere. Se un bambino, o un ragazzo, sente che i confini sono talmente fragili che lui li può abbattere, sarà insicuro e spaventato. Questo incoraggia la sua distruttività, e non la sua creatività. La capacità dei genitori di dire no con fermezza è una rete di sicurezza per l'adolescente impaurito.

Un'identità distinta

L'adolescenza è il periodo in cui si fanno le prove di un'identità indipendente. La famiglia non è più il metro di paragone, i genitori non sono più le persone che i figli desiderano emulare e non occupano più il posto centrale che avevano prima; vengono sostituiti dalla scuola e dagli amici, che diventano il principale interesse del ragazzo. In questo tentativo di diventare indipendenti, per i teenager è importante prendere le distanze dal loro rapporto precedente con i genitori. È difficile modificare il proprio comportamento e il proprio modo di pensare con le stesse persone; bisogna prendere spunto altrove per esercitare le nuove abilità. Anche da adulti siamo riluttanti a impegnarci in un rapporto diverso con i nostri genitori. Spesso ci comportiamo con loro come abbiamo fatto per la maggior parte della vita, anche se con gli altri siamo completamente diversi.

Così nell'adolescenza c'è una ricerca di modelli al di fuori della famiglia, modelli con i quali i teenager possono misurarsi. Vanno in cerca di idee e di ideologie, di religioni, di sistemi, di mode e di modelli di ruolo. Alcuni di questi modelli saranno adulti appartenenti al mondo della politica, della cultura, dello spettacolo, della musica, altri saranno semplicemente persone dell'ambiente del ragazzo o della scuola. L'adolescente, forse per la prima volta nella sua vita, deve scegliere le persone con cui stare. Non dipende più dai genitori che invitano gli amici. Dovrà imparare a gestire molti conflitti da solo; è improbabile che i genitori siano presenti come prima. Gli adolescenti si incontrano, sui mezzi pubblici, al cinema, al parco, a fare compere, all'angolo della strada o in qualsiasi altro posto. Sorgono dei problemi che il teenager dovrà affrontare da solo o con gli amici. Deve imparare a badare a se stesso. Non c'è nessuno che gli dice o gli ricorda le regole: adesso devono venire da dentro di lui. Deve ormai aver metabolizzato e assorbito le prediche sui rischi che può correre e, in senso più positivo, sul rispetto per gli altri. Questa è la base su cui si può innestare la pressione dei compagni ad aderire a norme o a comportamenti diversi.

Adesso sta a lui decidere se ascoltare o meno le voci parentali della sua infanzia, e vedremo che possono esserci delle oscillazioni. Per aiutarlo a interiorizzare il senso dei confini e dei limiti, dovete consentirgli di scegliere liberamente. I genitori devono crescere e cambiare con i figli. Devono anche trovare un nuovo modo di essere, più o meno come hanno fatto al momento della nascita del bambino. Adesso lo devono lasciare andare, devono lasciare che si sviluppi diventando un giovane adulto. Lasciar andare è sempre difficile, per tutta la vita.

Molti adolescenti hanno bisogno di uno spazio autonomo, hanno bisogno di trovare da sé il loro posto nel gruppo dei pari. Per alcuni è più facile farlo escludendo per un certo periodo la famiglia, perché all'inizio è troppo difficile essere indipendenti conservando al tempo stesso un legame intimo. Dal punto di vista di un genitore è strano vedere il bambino che prima tornava a casa da scuola, si sedeva con voi, vi stava attorno, guardava la televisione e faceva merenda, andarsene dritto in camera sua e scomparire finché non lo chiamate. Arrivano telefonate in continuazione, vuole uscire con gli amici, e tutti i componenti della famiglia si rendono conto che fa parte di una cerchia sociale che non li comprende. Non chiede più consigli sui vestiti, sullo stile da adottare, su chi vedere o cosa fare. Molti genitori si sentono terribilmente esclusi.

- Alice, madre di due ragazzi, Peter di dodici anni e Charlotte di tredici, racconta che spesso si trova a tavola, a cena, in mezzo ai due che ridacchiano e spettegolano sugli amici. C'è tutto un parlottio sui *boyfriend* di Charlotte e sulle ragazzine che vanno dietro a Peter. La madre riesce a cogliere solo alcuni frammenti della loro conversazione e si sente molto esclusa; hanno un sacco di cose eccitanti da dirsi e non c'è posto per lei.
- Paul, padre di Tracy, una ragazzina di quattordici anni, l'ha vista sconvolta e in lacrime, ma lei non vuole dirgli cos'è successo. La ragazza parla un po' con la madre di un litigio con gli amici che l'ha turbata molto e la prega di non parlarne al papà perché teme che pensi che si stia comportando da bambina piccola.
- David ha quindici anni ed è sempre stato un bambino tranquillo, abituato a comunicare poco con i genitori. Quando era piccolo gli piaceva stare con la famiglia, partecipando alle attività, ma non prendendo quasi mai l'inizitiva. Ogni tanto gli piaceva anche essere coccolato. Crescendo, la sua natura riservata lo ha portato a scegliere attività piuttosto solitarie, come leggere e giocare con il computer. Benché sembri perfettamente soddisfatto, i genitori si preoccupano perché temono di sapere poco della sua vita emotiva, della persona che sta diventando. Vedono gli altri ragazzi della sua età che sono sempre in giro, magari nei guai. Temono che David sia isolato o tagliato fuori in qualche modo. Si chiedono se dovrebbero fare qualcosa.
- Jenny ha sedici anni. Passa ore al telefono con gli amici, ma ai membri della famiglia non ha quasi mai niente da dire. Pensano che deve avere un mucchio di cose in testa per riempire così tante conversazioni, ma non hanno idea di cosa pensi né di quali siano i suoi sentimenti.
- Kabir ha diciassette anni, esce tutte le sere e non dice mai ai genitori dove è andato e con chi. Torna sempre all'ora pre-

stabilita, ma i genitori non sanno niente della sua vita sociale. A casa è gentile e fa quello che gli viene richiesto, aiuta e si occupa dei fratelli minori. Non dà problemi. Eppure i genitori hanno l'impressione che sia più un pensionante che un figlio e temono che se si mettesse nei guai non lo verrebbero a sapere. Non lo sentono come parte della famiglia.

Sono tutti esempi tratti dalla vita quotidiana di famiglie normali. Può essere molto duro per i genitori sopportare la sensazione di essere esclusi, ma è fondamentale per lo sviluppo dei figli. I genitori devono dire no al proprio desiderio di intimità e di coinvolgimento e dovranno magari adattarsi a essere disponibili solo quando il figlio li cerca, dimostrando di rispettare i suoi sentimenti e il suo bisogno di privacy.

Benché sembrino non dare nessun peso all'opinione dei genitori, gli adolescenti sono molto sensibili a quello che si dice di loro. Magari fino a oggi vostro figlio è stato sicuro del suo rapporto con voi, ma ora si chiede se vi piace questo nuovo individuo, la nuova persona che sta diventando. Può pensare che abbiate un gusto veramente "tremendo" per i vestiti, ma se criticate uno stile di abbigliamento che a lui piace si sente punto nel vivo. Mia figlia tredicenne e le amiche stavano parlando di vestiti. Preferiscono di gran lunga sceglierli con le amiche che con i genitori. Ma una di loro mi raccontò di aver acquistato un abito che le sembrava molto carino; lo aveva provato e lo aveva fatto vedere al padre che, guardandola, aveva commentato in tono di lieve disapprovazione: "Cos'è?" Non l'aveva mai più messo.

Quando gli adolescenti parlano con tanta passione e convinzione immaginiamo che siano forti e determinati. Dimentichiamo quanto siano anche vulnerabili. È il loro umore così mutevole a provocare sconcerto, sia in noi che in loro. In famiglia c'è una continua oscillazione dall'intimità alla distanza.

Cerchiamo di capire il perché della distanza.

Nell'isolamento, è molto difficile verificare chi siamo. In generale il giovane adolescente ha un'idea piuttosto chiara di come viene percepito a casa. È abituato ai rapporti individuali con i vari componenti della famiglia e al fatto di appartenere a questo piccolo nucleo, con i suoi sentimenti intensi e intimi. A scuola la situazione è diversa. Il gruppo della scuola primaria a cui ormai si era abituato si è probabilmente sciolto con il passaggio alla scuola secondaria. Deve affrontare una nuova cerchia sociale. In questa fase, in genere, fa amicizia in gruppo piuttosto che con singole persone. I suoi interessi si spostano dalla famiglia al gruppo sociale, le sue preoccupazioni e le sue gioie sono legate per lo più al posto che vi occupa. Vi potrà capitare di essere in ansia per le compagnie che si sceglie. Non potete più controllare la situazione invitando gli amici o stabilendo rapporti con le altre mamme.

Per gli adolescenti la scelta degli amici è un modo di sperimentare. Un gruppo può comprendere un ragazzo tranquillo, uno chiassoso, uno divertente, uno ribelle, uno riflessivo. Stando insieme vedono i diversi comportamenti delle persone nei confronti degli altri e hanno modo di sperimentare diversi aspetti di se stessi. Possono fare cose che vi parranno poco consone al loro carattere – rubare in un negozio, bestemmiare, bere alcol, fumare e via di questo passo. Dobbiamo essere pronte a vederli sperimentare aspetti della vita che preferiremmo evitassero. Forse avranno bisogno di fare in prima persona certe esperienze per scoprire che non vanno bene per loro (naturalmente non mi riferisco a un'attrazione cronica e costante per certe attività; ma ne parleremo brevemente più avanti). La scelta sarà più convinta perché viene da dentro. Una disciplina esagerata, un atteggiamento troppo moralistico rischiano di essere controproducenti perché generano spesso un'intima ribellione, un segreto disprezzo, la sottomissione risentita di chi subisce una prepotenza. Lo psicoterapeuta infantile M. Waddell scrive che "le famiglie troppo rigide e autoritarie, con una tendenza alle contrapposizioni molto radicali, rischiano, senza volerlo, nella convinzione di non far altro che stabilire dei limiti, di incoraggiare i figli verso atteggiamenti estremistici".

I genitori hanno sempre torto!

Subentra anche, a creare distanza, il diverso modo in cui i figli vedono i genitori. Per gran parte della prima infanzia i bambini sono convinti che i genitori siano onnipotenti, che sappiano e possano fare qualsiasi cosa. I genitori hanno, fra l'altro, il compito di deludere questa aspettativa e di aiutarli a vedere le cose in modo più realistico e completo. Il grande pediatra e psicoanalista D.W. Winnicott parla del dovere dei genitori di disilludere gradualmente il figlio. Spesso nell'adolescenza l'idealizzazione cambia segno, al punto che i genitori vengono considerati degli incapaci. L'adolescente pensa che lui e i suoi amici siano gli unici a provare emozioni intense e a saper penetrare con forza i problemi. Può esserci un certo disprezzo per la generazione più vecchia.

È una normale fase evolutiva dell'adolescenza quella in cui il teenager pensa che tutto quello che fanno i genitori (o uno di loro) sia sbagliato. Il ragazzo è tremendamente deluso: come è possibile che la stessa persona che gli era sembrata così fantastica sia diventata una simile nullità? È come se, per potersi allontanare e separare da voi, il bambino avesse bisogno di pensare che siete cattive. Se continuasse a pensare che siete una persona fantastica, come farebbe a lasciarvi? È un po' come un nuovo svezzamento. Quando fra due persone ci sono sentimenti positivi, è naturale accarezzare il desiderio o il sogno che in qualche modo questa unione possa durare per sempre. Ma allora ci sarebbe stasi, e non movimento, vita.

Durante l'adolescenza è in atto un enorme sforzo di crescita, le cose sono in movimento. Il bambino si allontana, ma per poterlo fare, per rendere le cose più facili a se stesso, può aver bisogno di trasformarvi in una strega o in un'incapace. Spesso succede qualcosa di simile anche con le ragazze alla pari o con le tate, prima della separazione. Anche se fino a quel momento avete avuto un buon rapporto, vi può capitare di ritrovarvi improvvisamente a litigare o a non essere d'accordo su cose banali. Serve a rendere meno penosa la separazione. I genitori possono rimanere perplessi quando si sentono accusare di essere intolleranti, retrogradi o paranoidi da ragazzini che appena un anno prima si fidavano solo dei loro consigli. Scoppiano litigi, i genitori e i figli sono offesi all'idea che l'altro li veda in quel modo. Molti genitori si lanciano in lunghe tirate a propria difesa e cercano di convincere i figli che sbagliano a giudicarli. Non è un atteggiamento produttivo, perché può impedire all'adolescente di prendere le distanze di cui ha bisogno.

Se vediamo questi scontri come tentativi di separazione e consentiamo ai nostri figli di esprimere quanto ci detestano, mostriamo loro che siamo in grado di tollerare il loro odio come il loro amore. Poter litigare in un posto sicuro, con qualcuno del cui amore si è certi, può essere molto rassicurante. Winnicott parla del "bisogno di sfidare in un ambiente in cui la dipendenza trova accoglimento [is met] e nel quale si può contare che trovi accoglimento".

In questi momenti dobbiamo ricordare chi siamo veramente, e non prendere senz'altro per buona l'immagine di noi che ci viene presentata. È come dire a noi stesse: "So che pensa che sono orrenda, ma io so di non esserlo e sto semplicemente sostenendo quello che ritengo giusto". Questo vi aiuta a portare avanti i vostri argomenti e a non cedere per paura di irritarlo o di apparire cattive ai suoi occhi. Possiamo mantenere le nostre idee e far valere le nostre regole. Ma non possiamo costringere gli altri a darci ragione. È un po' troppo pretendere che nostro figlio non solo faccia quello che gli chiediamo di fare, ma pensi anche che è una buona idea!

È anche vero che gli adulti non sanno granché di alcuni aspetti della vita contemporanea. Gli adolescenti conoscono meglio di noi alcune cose nuove – sviluppi della tecnologia dell'informazione, moda, musica, arte, gergo. Negli ultimi anni dell'adolescenza, riflettendo sui grandi problemi filosofici, mettono in discussione valori che noi ormai diamo per scontati. Ci inducono a ripensare questioni etiche e politiche. I movimenti giovanili hanno partecipato in modo significativo ad alcune importanti svolte, per esempio la fine della guerra nel Vietnam. Gli stessi musicisti pop, simboli della cultura giovanile, hanno contribuito a modificare certi atteggiamenti. Soprattutto negli anni sessanta. I Beatles, per esempio, hanno trasformato radicalmente l'atteggiamento britannico nei confronti degli indiani. Un popolo di immigrati che prima era stato sottovalutato e considerato primitivo e incivile veniva improvvisamente visto come il detentore di una saggezza antica, a cui l'Occidente ora aspirava. Il loro abbigliamento, che fino a quel momento era stato ridicolizzato, venne accolto e imitato. Per me, che sono indiana, fu un periodo straordinario. Un paese grigio si riempiva di mille colori. La mescolanza di razze e culture scaturisce spesso dall'apertura dei giovani alle novità.

I giovani oggi ci ricordano i danni che arrechiamo all'ambiente, ci fanno riflettere sul modo in cui trattiamo gli animali e il nostro stesso corpo. Non dobbiamo sottovalutare quanto gli adulti possono imparare dai figli; da loro ci aspettiamo idealismo, in loro speriamo di trovare un antidoto al nostro cinismo.

A volte i figli riescono meglio dei genitori nello studio o in certi sport. Anche in questo caso è importantissimo riconoscere il talento del ragazzo, senza temere che sminuisca la nostra autorità o il nostro rispetto di noi stessi. Comportandoci come se fossimo onniscienti rischiamo di alienarci i nostri figli. Se parliamo in modo informato di quello che sappiamo e ascoltiamo cosa sanno loro può esserci conversazione e reciprocità, altrimenti scivoliamo nel sermone. Irrita moltissimo un adolescente sentirsi fare una lezione su qualcosa di cui ne sa di più lui.

Mostrare che possiamo imparare da loro ha almeno tre funzioni. Innanzitutto li rende consapevoli che hanno un contributo valido da dare. Questo accresce la loro autostima e soddisfa il loro desiderio di dare qualcosa in cambio di tutto ciò che hanno ricevuto. In secondo luogo serve a far capir loro, con l'esempio, che non si è mai finito di imparare, che si possono sempre rinnovare e ampliare le proprie conoscenze. Questo dovrebbe favorire un atteggiamento aperto e curioso verso il mondo. In terzo luogo, in un momento in cui stanno facendo un balzo in avanti, li rassicura che i genitori non sono statici, ancorati per sempre nello stesso posto. Alcuni adolescenti vivono con un senso di colpa questo loro sviluppo che li porta a farsi carico di se stessi. Possono preoccuparsi che i genitori siano gelosi o che manchino di vitalità, come se fossero improvvisamente molto vecchi e rischiassero di essere lasciati indietro. La loro capacità di cambiare e di crescere dà ai figli il via per continuare liberamente nel proprio sviluppo.

Rifiutando i genitori o cambiando la percezione che hanno delle loro qualità, gli adolescenti provano un senso di perdita, di tristezza perché non possono più fare riferimento a loro. Può succedere che per un certo periodo di tempo si sentano persi e vuoti. Anche la loro autostima ne risente. Se ciò che si è cercato di emulare non appare più così positivo, ci si sente sminuiti. La maggior parte dei ragazzi superano questa fase e riescono a vedere i genitori per quello che sono, con i lati buoni e i lati cattivi. È la battaglia con l'ambivalenza, che continuerà per tutta la vita.

Vero amore

Avendo creato una distanza fra se stessi e i genitori in un'epoca in cui le emozioni sono molto intense e appassionate, spesso nella tarda adolescenza i ragazzi cercano un altro rapporto che dia loro un forte senso di intimità e lo vivono come unione, simbiosi, ricerca della propria altra metà. Abbiamo visto che spesso l'adolescente si sente incompleto, e a volte trovare un altro con cui si è in armonia fa sentire più interi. Sono presenti degli elementi del rapporto idealizzato fra la madre e il bambino piccolo, della "perfetta armonia", dell'essere parte uno dell'altro, di cui abbiamo parlato nel capitolo 1. La letteratura, classica e popolare, narra spesso di separazioni strazianti e del desiderio di essere uniti per sempre.

I genitori a volte si preoccupano che il figlio o la figlia siano troppo presi da qualcuno, e che di conseguenza siano tagliati fuori dalle attività di gruppo e non siano inseriti in una cerchia più ampia. Se è vero che il desiderio di un'unione idealizzata e di un'intimità che duri per sempre rappresentano una fase evolutiva necessaria, abbiamo visto anche che provoca staticità e non permette il movimento e la crescita. Ma, se capiamo che questo tipo di rapporto è un tentativo di recuperare un sogno perduto, saremo meno preoccupate perché sapremo che, come hanno superato la prima fase di intimità con noi per avventurarsi nel mondo, probabilmente anche questa volta si sapranno staccare. Smetteremo così di interferire e di cercare di ostacolare il loro affetto prima che abbia svolto la sua funzione. Dovremo imporci un limite, trattenere l'impulso di proteggere nostro figlio dalle pene d'amore a cui va inevitabilmente incontro. Se lo mettiamo di fronte a un divieto verremo accusate di distruggere i suoi rapporti, i suoi sogni, i suoi ideali. In molte famiglie il disaccordo su certe scelte provoca una rottura. Imponendo troppo presto una restrizione rischiate di allontanare ancora di più da voi vostro figlio, al punto, a volte, che avrà l'impressione di non poter tornare. Non mi riferisco alle persone che ritenete rappresentino un pericolo, ma a quelle che semplicemente non avreste scelto per lui.

A volte le obiezioni derivano dalla tendenza a idealizzare i figli e a pensare che nessuno sia alla loro altezza. Oppure, vedendo che vostro figlio ripete errori in cui siete incorse alla sua età, vi identificate con lui e istintivamente gli vorreste risparmiare le pene che avete sofferto voi, e vorreste evitare di riviverle voi stesse vedendolo soffrire. Anche in questo caso è importante prendere le distanze, ricordare che siete due persone diverse. I vostri ricordi vi possono aiutare a capirlo, ma possono anche impedirvi di vedere la sua esperienza, che non coincide con la vostra.

Facciamo fatica a renderci conto che nostro figlio è diverso da noi e a volte non riusciamo a capire l'attrazione che prova per una certa persona. Come ha fatto a scegliere proprio quella?

I coniugi G. hanno tre figli. Sono una famiglia unita e escono spesso insieme. Tutti i figli frequentano la sinagoga e fanno parte di un gruppo di giovani ebrei. Sharon si è innamorata di un ragazzo che ha conosciuto a una festa. Non è ebreo e i genitori hanno molta difficoltà ad accettarlo.

Pur trovandolo educato e simpatico, gentile con la figlia e rispettoso con loro, non riescono ad approvare la scelta di Sharon. Continuano a chiedersi cosa le impedisca di trovare un ragazzo nella comunità. Vorrebbero un ragazzo che faccia parte di un mondo che conoscono e capiscono, in modo da potergli dare una collocazione.

Molti genitori si trovano in una situazione simile. La comunità può essere religiosa o geografica, culturale, finanziaria o razziale. La cosa difficile da accettare è che nostro figlio scelga al di fuori del territorio che ci è noto, dove non abbiamo riferimenti in base a cui giudicare. A volte sarà solo un: "Ma come fa a trovarla attraente?" che, tradotto, equivale a dire: "Come è possibile che abbia dei gusti così diversi dai miei?" La differenza accentua il fatto che siete due persone distinte.

Gli adolescenti si rendono conto di perdere la testa quando sono innamorati. Vengono presi in giro per questo, e a loro volta prendono in giro gli amici. Shakespeare ha scritto: "Non so capire come si dia il caso che qualcuno, pur dopo aver visto quanto si dimostra sciocco un uomo che si dedichi tutto all'amore, e persino dopo aver riso per le vane follie ch'egli ha visto commettere da altri, diventi poi l'oggetto medesimo della propria canzonatura innamorandosi a sua volta".

Molti genitori reagiscono con sconforto o con stupore allo strano comportamento di un figlio innamorato, trovandolo a volte divertente, altre toccante; ma per lui la situazione è disperatamente seria. Dobbiamo riuscire ad accettare i suoi sentimenti senza lasciare che ci travolgano. Un adolescente che ha dei problemi di cuore ricorrerà probabilmente al nostro aiuto. Se non sopportiamo di vederlo soffrire, magari ce la prenderemo con la persona che lo fa star male, fino al punto di odiarla. Gli consiglieremo di togliersela dalla testa, di cominciare a guardarsi un po' intorno e cose del genere. Ma in questo modo, invece di aiutarlo ad analizzare i suoi sentimenti, ci comportiamo come se fossimo noi a soffrire. Se facciamo nostro il suo dolore o reagiamo con rabbia, per lui sarà difficile superarlo. La cosa migliore che possiamo fare, forse, è stargli semplicemente accanto, aiutandolo a sopravvivere a questo momento difficile.

La sessualità

Durante l'adolescenza vengono fatte molte nuove scoperte, fra cui quella della sessualità. Di solito i ragazzi rifiutano l'idea che il padre e la madre abbiano una vita sessuale. Comunque, è un'area della loro esistenza che è preclusa ai genitori. Può capitare che l'adolescente esprima dei timori e degli interessi, ma non si scoprirà mai del tutto, perché il rapporto diventerebbe troppo intimo ed esiste un forte tabù non solo rispetto all'incesto vero e proprio, ma anche rispetto ai sentimenti e ai pensieri incestuosi. Ho detto più volte che gli occhi dei genitori sono uno specchio in cui il figlio si vede riflesso. Una giovane persona non può esplorare la propria identità sessuale con i genitori; deve rivolgersi altrove e può essere molto spaventata all'idea di dover cercare fuori casa una parte così importante di se stessa. Questo non significa che l'adolescente non si sentirà più fisicamente vicino ai genitori, anzi, probabilmente cercherà ancora le loro coccole. Per alcuni, però, il confine fra fisico e sessuale è molto confuso, e questo li induce a creare una distanza fra sé e i genitori. Questo vale soprattutto fra padri e figlie, madri e figli. Anche in questo caso è importante che i genitori dicano no a se stessi, contengano il proprio desiderio di intimità, consentendo così al figlio di trovare la distanza che lo mette più a suo agio.

I cambiamenti fisici rendono più acuta la sensazione dell'adolescente di non sapere chi è e che aspetto avrà, c'è una vulnerabilità che nasce dall'incompletezza. I ragazzi non sanno cosa fare di quei peli che hanno sulle guance, che non sono ancora una vera e propria barba. Le ragazze si vedono spuntare sul viso dei brufolini che ai loro occhi sono orribili tubercoli, che tutti guardano e che non spariranno mai; delle parti del loro corpo crescono e a volte si sentono grasse. La psicoanalista francese Françoise Dolto parla di "complesso del gambero", alludendo al periodo in cui il gambero lascia il guscio ed è totalmente esposto e vulnerabile finché non se ne costruisce uno nuovo. Si stanno trasformando in giovani adulti e si schiude davanti a loro il mondo degli incontri sessuali. Si fanno un'immagine di se stessi anche misurando il fascino che esercitano sugli altri. E, nella ricerca di capire chi sono e da chi possono sentirsi attratti, sperimentano. Alcuni fanno scelte di tipo omosessuale, altri cambiano spesso partner, suscitando la preoccupazione dei genitori. È importante capire che si tratta di fasi transitorie. Non dobbiamo pensare che, in un periodo di cambiamenti come questo, ci sia qualcosa che è destinato a durare per sempre. Dovremo fare lo sforzo di restare nel qui e ora, evitando che la nostra mente si proietti troppo precipitosamente nel futuro.

Un adolescente che desidera la sicurezza di sentirsi amato può cercare negli incontri sessuali il calore e l'affetto di cui ha bisogno. Il bisogno più infantile di conforto si mescola all'ardore fisico della sessualità. In questo periodo sono più vulnerabili ed è più facile che qualcuno approfitti di loro. Continuando l'analogia con il gambero, spesso sono in agguato dei gronghi voraci, pronti ad avventarsi su di loro per divorarli.

Dee era una ragazza di sedici anni molto delicata e attraente. I suoi genitori erano separati. Era molto legata alla madre, che morì improvvisamente. Dee andò a vivere con il padre che conosceva a malapena. La cosa non funzionò e Dee venne affidata a una famiglia. Passò da una situazione in cui era iperprotetta e quasi inseparabile dalla madre a una condizione di grande solitudine e smarrimento. Il suo bisogno di una figura materna era palpabile nella stanza durante le sedute, e facevo molta fatica a trattenermi dal portarmela a casa. Non aveva mai baciato un ragazzo e parlava con timidezza e imbarazzo della sua curiosità per tutte le cose sessuali. Quasi subito dopo l'affido cominciò ad avere rapporti sessuali con un uomo più grande, che chiaramente approfittava di lei. Diceva di aver bisogno di sentire che qualcuno l'amava; il contatto fisico, per quanto breve, le dava un po' di calore e la sensazione di contare qualcosa.

Molti giovani, nelle loro relazioni sessuali, cercano lo stesso conforto e lo stesso amore incondizionato che ricevono dai genitori. Se c'è il rischio che qualcuno approfitti di loro, è la loro capacità di dire no che li può salvare. Un adolescente che ha un forte senso del proprio valore e che si sente apprezzato saprà respingere con più decisione chi vuole abusare di lui. Grazie all'esempio dei genitori, che hanno tenuto fede con fermezza ai limiti che avevano fissato e hanno saputo dire no malgrado le sue proteste e ribellioni, sa anche che può dire no a qualcuno, pur continuando ad amarlo, e che può rimanere molto legato a chi gli dice di no. Si rende conto che un "no" non rappresenta un colpo di grazia, ma è un aspetto sano di un rapporto vitale.

Negli ultimi anni dell'adolescenza il ragazzo si trova in una situazione paradossale rispetto alla sessualità. Legalmente è responsabile delle sue azioni, ma a casa spesso non lo considerano tale. L'atteggiamento nei confronti della sessualità è cambiato molto rapidamente nel corso degli ultimi cinquant'anni e i sedicenni di oggi hanno poco in comune con gli adolescenti della nostra generazione. È possibile che dal punto di vista emotivo non siano molto maturi, ma hanno molta più dimestichezza con la sessualità di quanta non ne avessimo noi, e spesso considerano i genitori degli ingenui. Una ragazza di diciassette anni mi fece notare quanto era assurdo che dei genitori vietassero alla figlia adolescente di dormire a casa di un amico perché temevano che avessero dei rapporti sessuali. E commentò stupita: "Sembra che pensino che deve per forza succedere dopo le dieci di sera e in una stanza da letto!" Negli ultimi anni dell'adolescenza i giovani, e in particolare le ragazze, apprezzano la possibilità di ricorrere ai genitori per avere consigli su problemi sessuali. Ne apprezzano l'interessamento, soprattutto se lo dimostrano ragionando insieme a loro sui problemi, e non limitandosi a dir loro cosa devono fare.

Se vogliamo che i nostri figli sappiano fare le loro scelte sessuali, che siano coinvolti quando vogliono esserlo e che quando è il caso dicano tranquillamente di no, in altri termini che siano responsabili del proprio corpo, anche noi li dobbiamo rispettare. Non ha senso che facciano o non facciano qualcosa per far piacere ai genitori. Se in definitiva sono gli altri a scegliere, cederanno facilmente alle pressioni di chiunque. La sicurezza delle proprie scelte aiuta a resistere non solo alle pressioni degli individui, ma anche del gruppo. Quando tutti gli amici parlano dei loro successi e delle loro conquiste, un ragazzo può tener fede alla sua decisione e magari rifiutarsi di fare qualcosa perché semplicemente non ne ha voglia.

Alcuni genitori percepiscono l'emergente sessualità dei figli come una minaccia, si sentono vecchi, poco attraenti, superati.

Tutto l'agghindarsi e il far la ruota degli adolescenti rafforza questa immagine poco sessuale dei genitori. A volte un genitore non sopporta di essere lasciato indietro ed entra nel branco giovanile adottandone le mode. Vediamo madri e figlie o padri e figli che escono insieme come fratelli. Ogni tanto può essere divertente, ma in generale non è molto utile. Non permette al ragazzo di allontanarsi e non aiuta il genitore a lasciarlo andare. Fingono di essere uguali, ma non lo sono. Spesso queste soluzioni vengono adottate per tranquillizzare l'altro, per timore del conflitto, perché i sentimenti negativi del genitore spaventano entrambi. Perché l'adulto che sta sbocciando possa fiorire ha bisogno di avere la benedizione dei genitori, di sentire che per loro è una gioia vederlo crescere armoniosamente. Contano molto le motivazioni dei limiti che imponiamo ai nostri figli. Se il "no" nasce dall'invidia e dalla gelosia, è probabile che riceviamo in cambio chiusura e bugie, cosa che non accadrà se il nostro diniego nasce dal desiderio di offrire protezione e supporto.

Accettare la differenza

La presenza di un adolescente in casa può trasformare la vita di tutta la famiglia. Se lo accettiamo a braccia aperte nel suo nuovo ruolo possiamo ritrovarci la casa invasa da orde di ragazzi chiassosi e vederci costrette a nutrire molte bocche affamate. Oppure è sempre in giro e ci dà poche notizie di quello che fa. È inevitabile che la questione dei limiti provochi attriti. Quali esigenze hanno la precedenza? Se pensiamo che abbia bisogno di stare in gruppo e vogliamo che sia libero di farlo, tenendolo però accanto a noi, dovremo accettare alcuni inconvenienti. Ma che ne sarà degli altri componenti della famiglia? Il più piccolo non rischia di sentirsi terribilmente isolato vedendo il fratello così circondato da amici? Il rumore e il disordine non interferiranno con il lavoro o con il tempo libero dei genitori? Chi dice "no" a chi? Se vostro figlio è sempre fuori, come sopportate il fatto di sentirvi escluse?

Si tratta anche questa volta di trovare una soluzione equilibrata. La vostra disponibilità ad accettare i cambiamenti della sua vita sociale incoraggia l'adolescente a rimanervi vicino senza sentirsi prigioniero o rifiutato. Dobbiamo essere pronte a scoprirlo molto diverso da com'era prima e diverso da noi. Anche questo fa parte della sua scoperta di sé, della sua ricerca del tipo di persona che vuole essere.

Ricky a quindici anni venne inviato da una psicoterapeuta infantile perché i suoi genitori pensavano che fosse "matto". Ci riferirono che vestiva in modo assurdo, era molto chiuso, non rispettava le regole della famiglia, stava fuori fino a tardi, non era puntuale a scuola, era disordinato... Al primo incontro la psicoterapeuta si aspettava di vedere una specie di mostro. Le comparve davanti un tipico teenager, con vestiti sgargianti, leggermente eccentrici. Dalle sue parole fu subito chiaro che era alle prese con l'immagine che i genitori avevano di lui. Pensava di essere come la maggior parte dei suoi amici. Vedendo insieme tutta la famiglia emerse un quadro piuttosto chiaro. Ricky era il minore di tre figli, e aveva dieci anni di differenza dal fratello più vicino di età. I genitori non erano più giovanissimi ed erano entrambi figli unici. Erano stati più coinvolti nella vita sociale dei due figli maggiori, avevano conosciuto i loro amici, sapevano come si comportavano e avevano anche scambiato quattro chiacchiere con gli altri genitori. Parlando con loro la terapeuta si stupì di quanto si sentissero ormai lontani dalla propria adolescenza e da quella degli altri figli. L'avevano completamente scordata. Erano stati entrambi dei ragazzi tranquilli, non certo ribelli, e non riuscivano a capire Ricky. Il suo comportamento li feriva, si sentivano poco apprezzati. A questo si aggiungeva il fatto che era il piccolo di casa ed era difficile per tutti lasciarlo crescere.

Con l'aiuto della terapia, i genitori capirono che Ricky non era chiuso, ma voleva solo proteggere la sua vita privata, e non era matto, ma avventuroso. Si resero conto di essere stati spaventati da quella che a loro sembrava sregolatezza, e che probabilmente lo sarebbero stati meno se fossero stati più giovani o più in contatto con altri genitori con figli della stessa età. Adesso si sentivano rassicurati riguardo a Ricky, ma avevano ancora molta strada da fare: dovevano adattarsi ai cambiamenti del ragazzo e affrontare le proprie difficoltà senza attribuirle alla sua presunta follia. Siccome avevano già due figli grandi, era difficile ricominciare. Quando Ricky era più piccolo gli altri due li avevano aiutati a crescerlo; adesso i genitori si sentivano soli, preoccupati e risentiti. Per loro sarebbe stato più facile pensare che il ragazzo avesse dei problemi.

L'adolescenza può risvegliare negli adulti molte ansie, la paura della sregolatezza, di perdere il controllo. Se per i genitori questi problemi hanno una forte valenza emotiva, gli adolescenti rischiano di essere come il gatto in mezzo ai piccioni. Si scatena un pandemonio. Invece di guardarsi dentro per cercare di capire le proprie paure, i genitori attribuiscono al figlio la colpa di tutte le loro preoccupazioni, come nel caso dei genitori di Ricky, che lo avevano fatto sentire un pazzo, un caso patologico, mentre non era altro che un normale adolescente. Senza l'aiuto della terapeuta Ricky rischiava di accettare l'immagine che stava prendendo forma, comportandosi davvero da matto.

Se a un ragazzo non viene permesso di fare le sue esperienze, se non può saggiare i limiti a casa, lo farà altrove:

Adam ha quattordici anni, è figlio unico e vive solo con la madre, che lo ha avuto quando aveva sedici anni. A scuola è molto aggressivo, viene continuamente sospeso per la maleducazione e si caccia sempre nei guai. A casa la madre è molto rigida e gli dice continuamente di no. Durante la settimana non ha il permesso di guardare la televisione e di uscire, deve andare a letto presto e così via. Adam è obbediente a casa e ribelle a scuola. Nei colloqui con la sua terapeuta, la signora A. disse che rimpiangeva di aver avuto il bambino così presto e di non aver potuto vivere spensieratamente l'adolescenza. Adesso che Adam era abbastanza grande, usciva spesso per conto suo e si divertiva. Adam obbediva alle sue regole, anche quando lei era fuori. Sembrava che potesse comportarsi male solo a scuola. Nelle sedute insieme, la signora A. fu stupitissima di scoprire che Adam era molto proccupato per lei. Si sentiva responsabile della sua felicità. Non poteva disobbedirle o lamentarsi perché sentiva che lei non l'avrebbe sopportato. Aveva avuto la percezione esatta che il suo bisogno di regole rigide era un modo, per lei, di proteggersi dal caos, e così ubbidiva. Potersi parlare fu per loro utile; venne trovata una forma di supporto per la madre, in modo da sollevare Adam di parte della responsabilità.

Quello appena descritto è uno scenario piuttosto comune: i figli assumono in casa un ruolo parentale, ma poi non sanno dove sfogare le ansie e la ribellione che hanno dentro, non hanno più un luogo dove poter affrontare le proprie difficoltà. Il desiderio dei genitori di conservare le cose come sono, di non cambiare troppo la propria vita, ostacola lo sviluppo dell'adolescente. I genitori devono dire no al proprio timore di cambiare e essere aperti alla novità e alla dissonanza.

La famiglia D. chiese un colloquio con me e con una mia collega perché temevano che la figlia quindicenne, Sharon, rubasse. Non erano ricchi, e vivevano in un quartiere molto povero della città. Benché tutta la famiglia fosse invitata (madre, padre, le figlie Tracy di diciotto anni e Sharon di quindici e un maschio di nove anni), il padre si presentò solo due volte. Era chiaramente una figura marginale nella famiglia, che era dominata dalla moglie. Quando entrarono ci colpì la somiglianza fra la madre e Tracy. Indossavano una quantità enorme di gioielli, soprattutto anelli e orecchini, avevano i capelli freschi di parrucchiere e indossavano *fuseaux* aderenti e giacca di pelle. Erano entrambe molto loquaci, vivaci e dominanti. Era evidente che spendevano parecchio tempo e denaro per il loro aspetto e che provavano piacere a farlo insieme. Anche il bambino portava un orecchino d'oro e vestiti molto eleganti. Invece Sharon era sovrappeso, trasandata e imbronciata.

La signora D. e Tracy si misero a elencare tutte le manchevolezze di Sharon; seduta dopo seduta, era una litania di lamentele per le sue pecche, che le esasperavano. Parlavano come una sola persona, aggiungendo esempi alle lamentele dell'altra e arricchendo di particolari quello che era con tutta evidenza un unico punto di vista. Ma quando provammo a saggiare il terreno scoprimmo che in quella casa era molto difficile avere un punto di vista diverso da quello della signora D. Il signor D. se la cavava con l'assenza, se non fisica, almeno emotiva. Saltò fuori che Tracy trascorreva tutto il tempo libero con la madre. La madre la accompagnava al lavoro, che cominciava molto presto la mattina, e poi da metà mattina la ragazza era libera di passare il resto della giornata a casa. Gli amici della sua età non la interessavano e preferiva uscire a far compere o andare in palestra con la mamma. La parola d'ordine in famiglia era che il punto di vista della mamma era il migliore.

Sharon si ribellava in tutti i modi che poteva, rubando alla madre, dando via i vestiti della sorella, mettendo in disordine la stanza, lasciando indumenti sporchi e cibo sotto il letto... Era come se non riuscisse a trovare un altro modo di separarsi dalla madre. Doveva essere uguale a lei, oppure l'esatto opposto. All'inizio sembrava lei la più problematica, ma con l'andare del tempo cominciammo a preoccuparci molto di più per Tracy. Sharon si comportava da disadattata, ma cercava di raggiungere una qualche forma di indipendenza. I suoi sintomi erano direttamente collegati ai suoi rapporti con i componenti della famiglia. Se fossimo riuscite ad aiutarla a trovare una sua dimensione e a escogitare un modo più accettabile di essere diversa, sentivamo che tutto sarebbe andato a posto.

Tracy invece aveva un modo di essere più strutturato, era una specie di gemella o di clone della madre, e non dimostrava nessun desiderio di cambiare. C'era poca differenziazione fra loro, come se fossero entrambe adolescenti o entrambe madri (della cattiva Sharon), ed eravamo preoccupate per i rapporti futuri di Tracy.

Sappiamo che si può provare odio per chi si ama, ma a volte è molto difficile ammetterlo. Un modo di gestire questi sentimenti è di scinderli, così da poter pensare che X è fantastico, mentre Y è terribile. È un metodo usato comunemente per continuare a considerare "buoni" coloro che amiamo, per far filare liscio il rapporto con loro. Così per Tracy essere uguale alla madre e idealizzarla, rifiutando invece la sorella che era così diversa, era un modo di restare vicina alla madre. E infatti, quando cominciammo a spostare gradualmente l'attenzione su Tracy, rifiutandoci di unirci al coro e di accusare e umiliare Sharon, la famiglia interruppe la terapia: Tracy e la madre non volevano essere affrontate separatamente, avevano troppo da perdere. Ma nel breve periodo del trattamento avevamo visto Sharon acquisire un po' di fiducia in se stessa, iscriversi a dei corsi e trovare un lavoro per le vacanze.

Questo caso illustra quanto possa essere difficile agire in modo diverso da un genitore. La spinta a conformarsi, a essere uguali, può essere rafforzata da norme culturali e religiose. La non accettazione di modi di essere diversi, però, ha sempre un costo, sia per l'individuo che per la famiglia. C'è un prezzo da pagare.

Come il bambino che impara a camminare e continua a cadere e a rialzarsi, o il bambino di nove anni che insiste per fare i compiti senza aiuto, anche se gli costa molta fatica, l'adolescente ha bisogno di ampliare il proprio campo d'azione, di provare per vedere cosa gli piace e cosa non gli piace, cosa vuole per sé. Può darsi che abbia bisogno di cadere e di rialzarsi da solo, come faceva quando era piccolo. Avremo magari paura che si faccia male o che faccia male agli altri. Possiamo offrirgli il nostro aiuto come quando era piccolo, ma adesso non possiamo più limitarlo molto. Il nostro intervento è meno concreto, meno fisico, è più che altro un'offerta di presenza e di sollecitudine.

Negli esempi di Tracy e di Ricky è evidente che i genitori non riuscivano a comprendere la diversità dei figli. Una resistenza così forte può significare che alcuni elementi della personalità dei genitori sono molto fragili. Nessuno è immune da simili reazioni, anche se probabilmente per la maggior parte di noi assumerebbero toni meno estremi. Se un padre va sempre al lavoro in giacca e cravatta, non capirà il figlio che va a un colloquio di lavoro in maniche di camicia. Può darsi che sia irritato per aver dovuto uniformarsi per tutta la vita a certe regole e non veda perché mai suo figlio dovrebbe cavarsela così a buon mercato. Vuol dire allora che i suoi sforzi sono stati inutili? O peggio ancora significaca che quello che per lui era valido, adesso non lo è più? La sua esperienza non ha più valore? Quello che succede tra padre e figlio, allora, non ha tanto a che fare con il fatto che il ragazzo debba o meno portare la cravatta, quanto con problemi di autostima.

Il desiderio di un figlio di apparire e di comportarsi in modo diverso può essere vissuto come una critica, come un rifiuto. Alcuni vi leggeranno provocazione e disprezzo. Per chi pensa che possano esservi poche variazioni a ciò che è accettabile, qualsiasi divergenza viene vissuta come una minaccia. Spinto all'estremo, questo atteggiamento può diventare xenofobia, razzismo e bigottismo religioso. Per chi è convinto che esista una sola verità, un punto di vista diverso è una sfida, piuttosto che un contribu to. Tutto dipende dal punto di partenza. Ho un ricordo molto vivido delle diverse reazioni di mia madre e di mia nonna, negli anni sessanta, di fronte ai ragazzi con i capelli lunghi. Mia nonna era allarmata, le sembravano sporchi e diceva che non si distinguevano i maschi dalle femmine. Mia madre invece li trovava tanto più dolci e più nobili di quelli con un nitido taglio militaresco; le ricordavano i moschettieri!

Il nostro modo di accogliere una nuova moda, un nuovo comportamento influenza lo sviluppo dei ragazzi. Quando un adolescente adotta un nuovo look particolare, un nuovo linguaggio o un nuovo atteggiamento, non è indispensabile che ci piaccia. Non è fatto per piacere a noi, ma ai compagni e agli amici. Se i suoi tentativi di trovare un proprio modo di fare non suscitano nessuna reazione, se li accettiamo subito, potrebbe avere l'impressione di non essere visto o sentito. Magari preferisce che disapproviamo lo stile che ha scelto; è essenziale però che ci piaccia il ragazzo. Se lo rifiutiamo in toto quando adotta mode e atteggiamenti lontanissimi dal nostro modo di vedere, se diciamo no alle identità che sta sperimentando, gli faremo un cattivo servizio. Un adolescente che viene continuamente rifiutato perché è diverso soffocherà il suo sviluppo per farsi accettare, oppure si ribellerà in modo estremo, o cercherà approvazione altrove.

Uno della banda

Una delle caratteristiche preoccupanti dell'adolescenza è l'attrazione che molti provano verso una mentalità di banda. Solitamente all'origine c'è un desiderio di appartenenza, di sicurezza. Mi viene in mente la canzone di *West Side Story* che descrive la banda chiamata i Jet:

> Quando sei un Jet,
> Lo sei per sempre.
> Dalla prima sigaretta
> Fino all'ultimo respiro.
>
> Quando sei un Jet,
> Se sei nei guai fino al collo
> Hai dei fratelli intorno,
> Sei una famiglia, amico!
>
> Non sei mai solo,
> Non sei mai abbandonato.
> Puoi star sempre tranquillo:
> Se aspetti visite,
> Sarai ben protetto.

(da *Jet Song*, di Bernstein/Sondheim)

La banda, insomma, è una difesa, un gruppo in cui si ha un proprio posto, in cui si è sempre i benvenuti. Spesso, per funzionare, una banda ha bisogno di escludere, di essere ostile agli altri. L'identità dei membri della banda dipende dalla presa di posizione a favore dei compagni. Questo fa sì che ciascun componente si senta importante.

> Quando sei un Jet,
> piccolo ragazzo, sei un uomo,
> piccolo uomo, sei un Re.

Spesso la banda rappresenta un rifugio per i ragazzi che sentono di non avere un proprio posto o a cui, in famiglia, manca ciò di cui hanno bisogno. Lo cercano altrove. Purtroppo la banda non è un'unità flessibile che ha a cuore degli interessi di sviluppo, come dovrebbe essere una famiglia. È un'unità difensiva, che ha lo scopo di proteggere i suoi membri dalla sofferenza e dall'insicurezza. A differenza del gruppo sociale che ho descritto prima, dove lo stare insieme è un modo per esplorare diversi aspetti di se stessi, la banda è una struttura rigida. Le differenze non sono finestre aperte sulla vita degli altri, che possono aiutare a conoscere e apprezzare altri modi di vivere. Fanno paura e incontrano una forte resistenza. Una differenza viene vista come una sfida e come una minaccia. Bisogna essere "dentro" o si è il nemico.

Alla base del funzionamento della banda c'è il tentativo di liberarsi del proprio disagio scaricandolo sugli altri; se per un ragazzo la famiglia non rappresenta una base sicura, per esempio, reagisce escludendo gli altri, facendo provare loro la sofferenza dell'insicurezza. I ragazzi che, benché i genitori siano animati dalle migliori intenzioni, hanno un'esperienza negativa in famiglia, si proteggono assumendo il ruolo dell'aggressore. Invece di provare dolore, lo infliggono agli altri. Si corazzano per non essere feriti e per non sentirsi vulnerabili. La banda serve a favorire una pseudo-indipendenza; chi ne fa parte si sente a proprio agio, è convinto di non avere bisogno di nessun altro e pensa che tutti gli altri modi di essere siano stupidi. Con questo atteggiamento, però, i ragazzi restringono il loro mondo e si precludono la possibilità di imparare da adulti benevoli, oltre che dai pari.

Come genitori, se vediamo che i nostri figli si avvicinano a una banda e se la cosa va al di là di una semplice infatuazione e diventa permanente, dovremo darci da fare perché tornino a casa, chiedendoci cosa non va in famiglia e perché se ne allontanano. È importante incoraggiare l'esplorazione, dare ai ragazzi una base sicura da cui avventurarsi nel mondo. Ma l'adolescenza è anche un periodo di grande vulnerabilità, è quello in cui si instaurano tutte le principali malattie psichiche e in cui possono iniziare e consolidarsi disturbi dell'alimentazione, malattie depressive, tossicodipendenza e alcolismo, delinquenza.

Quando si perde la strada

Non possiamo permetterci di chiudere un occhio quando i nostri figli prendono una brutta strada. Come abbiamo visto per i bambini piccoli quando diventano dei piccoli tiranni prepotenti, è essenziale che i genitori intervengano con decisione e facciano quello che è in loro potere per impedire al figlio di comportarsi in modo distruttivo verso se stesso o verso gli altri. Dobbiamo essere preparati a qualche scenata, ma in complesso i figli sono grati ai genitori che valorizzano le loro qualità positive e proibiscono loro di sabotare la propria vita. Questo vale per tutti i comportamenti autodistruttivi, come per esempio l'assunzione di droghe e i disturbi alimentari. I genitori devono riaffermare il loro ruolo di responsabili della famiglia, a cui spetta stabilire i limiti e, se è necessario, quando un problema sembra insolubile, devono ricorrere a un aiuto esterno.

A volte è difficile distinguere fra la normale ribellione e la patologia. Come abbiamo visto, un adolescente può perdere il controllo per cause banalissime. Il suo comportamento sarà in gran parte teso a forzarvi la mano, a farvi preoccupare, in modo da costringervi a una maggiore fermezza. I limiti di questo libro non ci consentono di considerare più da vicino la patologia. In generale, però, ci si accorge se un adolescente ha bisogno di un aiuto esterno, perché il suo comportamento desta una profonda preoccupazione. La figlia che torna a casa con i capelli blu e il *piercing* al naso, ma è la solita ragazza allegra (o scontrosa!) di sempre sarà meno preoccupante di quella che a prima vista sembra la stessa ma è profondamente infelice, non ha voglia di scherzare, non ha gioia di vivere.

Quasi tutti gli adolescenti, prima o poi, si lasciano andare a qualche forma di trasgressione: fumano marijuana, sono promiscui (in termini di numero di partner più che di rapporti sessuali completi), dicono bugie ai genitori, sfidano le regole e via dicendo. Sono le normali provocazioni dell'adolescenza. È il caso di preoccuparsi quando le attività intraprese per provare un attimo di brivido o per divertimento prendono una brutta piega, quando sembra che il ragazzo voglia cancellare i sentimenti e il bisogno degli altri. Allora la trasgressione assume un carattere di dipendenza, diventa compulsiva e il malessere non sembra voler diminuire.

Se avete l'impressione che vostro figlio soffra di angosce catastrofiche, o se le provate voi stesse, al punto di preoccuparvi per la sua salute se non addirittura per la sua vita, come nel caso della tossicodipendenza o dell'anoressia, dovete farvi aiutare. Se offrite a vostro figlio un posto sicuro in casa, se avete messo ben in chiaro che, qualunque cosa succeda, voi siete il genitore e lui è il figlio, e nonostante questo la preoccupazione è insostenibile, non c'è motivo di vergognarsi a chiedere aiuto: anzi, è un segno di coraggio. Dovrete essere pronte a riconsiderare anche il vostro ruolo nella costellazione.

La realizzazione dei sogni

L'adolescente che si affaccia alla vita adulta porta spesso con sé i sogni dei genitori, che desiderano dargli quello che non hanno mai avuto, ma sperano anche che diventi quello che loro avrebbero voluto essere. Queste aspettative emergono soprattutto negli ultimi anni dell'adolescenza, al momento della scelta della facoltà universitaria o della professione. Se il ragazzo ha un carattere abbastanza forte ricorderà ai genitori che sarà lui, poi, a dover vivere con la scelta che ha fatto. Dovrà dire no ai genitori, e può non essere facile. Perfino da adulti, a volte, sentiamo che i nostri genitori hanno ancora delle aspettative nei nostri confronti e ci sforziamo di soddisfarle.

Arish ha quindici anni. Proviene da una famiglia della classe media. È un ragazzo molto intelligente e ci si aspettano da lui ottimi risultati alla maturità. In tutte le prove preliminari ha preso il massimo dei voti. I genitori hanno grandi ambizioni per i figli, soprattutto per Arish che va così bene a scuola. Arish mi venne inviato perché era molto depresso, esprimeva idee suicide, aveva smesso di mangiare, non riusciva a concentrarsi e dormiva male. La famiglia era molto unita e i genitori erano preoccupatissimi. Era sempre stato un "bravo ragazzo", che aveva fatto sempre del suo meglio per dimostrarsi all'altezza delle aspettative dei genitori. Non era mai stato indisciplinato o ribelle. Parlando con la famiglia emerse che Arish si sentiva terribilmente sotto pressione; pensava di non essere mai abbastanza bravo; per quanto i suoi risultati fossero buoni, aveva la sensazione che ci si aspettasse di più. Raccontò di essere rimasto malissimo quando, dopo le prove preliminari per la maturità, il padre gli aveva chiesto perché non aveva preso la lode.
I genitori furono sorpresissimi quando scoprirono che aveva dovuto sopportare tanta tensione. Non se ne erano resi conto, e da quel momento in poi si sforzarono di controllarsi. Al ragazzo venne fatto notare che anche lui aveva la sua parte di responsabilità, perché non aveva mai fatto capire ai genitori quello che provava. La terapeuta li aiutò a trovare delle soluzione pratiche: suggerì loro di usci-

re insieme dimenticando per un po' il lavoro e cercando di avviare un dialogo. Durante le sedute Arish riuscì a esprimere per la prima volta la rabbia per la responsabilità che si sentiva addosso di dover realizzare i sogni del padre. I genitori capirono e guardarono la situazione con occhi diversi. Arish, dal canto suo, si rese conto che poteva parlare della sua irritazione, del suo disagio e della sua rabbia senza che i genitori ne fossero sconvolti. Ben presto la depressione e le idee suicide sparirono.

Abbiamo già visto un'altra forma di pressione esercitata dai genitori, quando cercano di scegliere gli amici o il partner dei figli. Dobbiamo evitare di immischiarci e dire no al desiderio di decidere quali sono le persone giuste, perché rischiamo di privare nostro figlio del diritto di scoprire da solo se una persona gli va veramente a genio. Spesso i genitori si affezionano a un ragazzo o a una ragazza che paiono loro molto adatti, appoggiano la scelta del figlio o della figlia e poi rimangono malissimo quando i due si lasciano. A volte restano in contatto con l'ex fidanzato e rendono più difficile al figlio proseguire per la sua strada e fare altre scelte. Anche in questo caso ci dobbiamo chiedere: è la sua vita o la nostra? Spesso non ci rendiamo conto di vivere attraverso i nostri figli e pensiamo di volere semplicemente il loro bene. Deve esserci una distanza fra noi e nostro figlio, uno spazio che ci consenta un minimo di prospettiva. Magari conviene che aspettiamo un po' prima di dare suggerimenti, dando loro la possibilità di esprimere i loro desideri.

Una seconda opportunità

L'adolescenza, proprio perché è un periodo in cui le emozioni sono così intense, può offrire l'opportunità di affrontare risentimenti o offese che erano stati sopiti. Negli anni intermedi, quando i bambini anelano alla stabilità ed evitano qualunque cosa che la possa compromettere, si consolidano certe dinamiche familiari. Con i cambiamenti dell'adolescenza, le cose che sembravano bloccate possono ricominciare a muoversi.

Maria, diciassette anni, venne da me perché era molto depressa. Era al college e faceva fatica a studiare. Aveva una grave malformazione congenita a un piede; aveva subito molti interventi fin dalla nascita e doveva ancora sottoporvisi. Sembrava abituata alla sua condizione di disabile e aveva l'impressione che spesso la cosa imbarazzasse più gli altri che lei. Durante le sedute parlammo a lungo del suo rapporto con la madre. Maria era convinta che la madre la odiasse. Da bambina la picchiava e Maria aveva passato parecchio tempo fuori casa, un po' con il padre e un po' con un'amica della madre. Adesso vivevano di nuovo insieme e si ripresentavano i soliti problemi.

Quando mi parlò dei traumi precoci, dovuti ai lunghi periodi trascorsi in ospedale, mi chiesi in che modo potessero aver compromesso il suo rapporto con la madre. In genere gli adolescenti vengono in terapia da soli, ma in questo caso feci la scelta insolita di vedere madre e figlia insieme, come avrei fatto se si fosse trattato di una bambina più piccola. Come avevo sospettato, i primi anni erano stati tremendi per entrambe. Non ne avevano mai veramente parlato, e tutte e due avevano in mente delle interpretazioni mitiche di come doveva averli vissuti l'altra. Ciascuna aveva letto l'esperienza a suo modo. Era arrivato il momento di scoprire qual era la realtà.

Maria rimase sconvolta quando scoprì che a ogni separazione la madre piangeva. In quell'ospedale, all'epoca, erano consentite visite brevissime, e non si faceva eccezione per le madri dei piccoli pazienti. La signora N. ci raccontò che pagava gli inservienti perché le permettessero di nascondersi in bagno, per poi sgattaiolare fuori di nascosto e poter passare un po' più di tempo con Maria. Ci raccontò le sue paure, il timore che la figlia non sarebbe mai stata in grado di camminare, e ci disse che aveva dovuto spingerla per anni nella carrozzella. L'immagine che se ne era fatta Maria, di una donna fredda che la odiava e che la abbandonava in ospedale, veniva profondamente scossa. E Maria, che a sua madre era sempre parsa lontanissima, che non voleva essere coccolata e respingeva tutte le attenzioni, parlò del suo bisogno di affetto, che però teneva a freno per paura di essere rifiutata. Avevano vissuto tutti quegli anni portandosi dentro questa immagine mostruosa dell'altra, senza mai riuscire a parlarne. Quando sentirono il racconto delle rispettive esperienze, cominciarono subito a darsi da fare per porvi riparo.

Ci sarebbe voluto molto tempo e non sarebbe stato facile: troppe cose erano successe. Ma era cambiato radicalmente il modo in cui ciascuna delle due vedeva l'altra. Maria si era sentita ferita e abbandonata, ma adesso si rendeva conto per la prima volta che la madre non aveva avuto intenzione di ferirla e che anche lei aveva sofferto moltissimo.

Se il momento è quello giusto e le persone sono disponibili a cambiare, dunque, è possibile rompere degli schemi fissi, rimasti consolidati per anni. Mi chiedo quanto sarebbe cambiata la vita di Maria e della madre se gli orari di visita all'ospedale fossero stati più elastici. I genitori non erano ammessi liberamente perché si riteneva che portassero scompiglio nella vita dei bambini, che in loro presenza diventavano più capricciosi e protestavano quando era il momento di separarsi. James e Joyce Robertson, pionieri della ricerca sugli effetti della separazione sui bambini piccoli, hanno dimostrato che la limitazione delle visite dei genitori ai bambini ricoverati in ospedale ha conseguenze deleterie. Gli interessantissimi filmati girati negli anni cinquanta dimostrarono che per il personale era più difficile affrontare il disagio dei bambini quando i genitori se ne andavano, e che gli stessi genitori avevano difficoltà a lasciare un bambino in lacrime, ma che per i bambini l'esperienza era più sopportabile se avevano accanto i genitori. Altrimenti può succedere che un bambino tenga per sé i suoi sentimenti, si chiuda e diventi depresso, oppure scarichi le emozioni picchiando un altro bambino o rompendo i giocattoli. Saper affrontare il disagio infantile è essenziale per abituarsi alla separazione e per prepararsi a quelle future. Insegna che le esperienze difficili si possono sopportare e superare, magari adottando opportune strategie.

Anche nell'adolescenza la separazione e l'individuazione comporteranno dei momenti dolorosi. Evitarli, nasconderli o reprimerli significa tenere in serbo i guai per dopo. Chi non ha fatto abbastanza esperienze nell'adolescenza può invidiare il figlio, identificarsi con lui e cercare di uscire dagli schemi di una vita normale, per esempio avendo storie fuori dal matrimonio. Oppure, per evitare di sfidare apertamente i genitori può aver covato una ribellione sotterranea, che rimane come modo di funzionamento per tutta la vita. È più facile affrontare le difficoltà nel momento in cui si presentano.

Sommario

L'adolescenza è un'epoca di grandi trasformazioni. Anche i genitori devono cambiare. I nostri adolescenti hanno bisogno di sentirsi sicuri a casa, di avere una base da cui partire per esplorare il mondo. Nel momento in cui si avventurano alla ricerca di una nuova identità, hanno bisogno di sapere che i genitori li amano e hanno fiducia in loro. La loro ribellione e il loro atteggiamento di sfida sono un tentativo di separarsi da voi, una ricerca del proprio modo di essere. Ne conseguono inevitabilmente conflitti e sofferenza, perché genitori e figli spesso si sentono incompresi e non amati. I figli che crescono provocano a volte nei genitori un terribile senso di perdita: perdita del ruolo, dell'identità, oltre che del loro bambino. La distanza che li separa dai figli può sembrare un immenso abisso. Ma è proprio questo sforzo di essere diverso, distinto dal genitore, che darà poi all'adolescente la fiducia e l'autostima necessarie per diventare una persona forte e creativa e per stabilire rapporti positivi con gli altri. Incoraggiando la sua libertà di crescere gli fate desiderare di esservi più vicino.

Conclusione: il rapporto di coppia

> Noi quando amiamo abbiamo solo questo da
> offrire: lasciarci; perché trattenerci è facile,
> e non è arte da imparare.
>
> RAINER MARIA RILKE, *Requiem per un'amica*

Alla fine del libro, dopo aver sviscerato il problema del dire no con riferimento soprattutto al ruolo di genitori, sarebbe confortante pensare di aver esaurito l'argomento. Ma, siccome stiamo parlando di processi, di rapporti che continuano, dobbiamo essere preparati a incontrare sentimenti e problemi simili in tutti i momenti della vita, nel matrimonio, nei rapporti di coppia, con i genitori e con i colleghi di lavoro.

Abbiamo accennato brevemente alle difficoltà che sorgono in una coppia di fronte a scelte che riguardano i figli. A volte è difficile dire no all'altro, cercare di negoziare una soluzione comune pur tenendo fermo il nostro punto di vista. Per evitare un conflitto si finisce spesso per agire ciascuno per conto proprio, pur sapendo che un fronte unito è più efficace. È una difficoltà che si può presentare in molte occasioni, non necessariamente legate alla condizione di genitori. Vorrei riprendere brevemente alcuni dei temi trattati in questo libro, in rapporto però alla relazione di coppia, lasciando da parte per un momento i figli.

Il sì come dono

Spesso si desidera far piacere al partner, offrirgli qualcosa di unico e di speciale. Ci si dimostra solidali con lui, lo si appoggia, si approvano le sue iniziative. Usiamo espressioni come "la mia metà", parliamo di essere "un corpo e un'anima sola", ammiriamo e invidiamo quelli che non si separano mai, che hanno un'unione intima e profonda. Questa immagine della coppia ideale, però, sottovaluta l'importanza del "no", della differenza. Nella coppia, come con i figli che crescono, un accordo profondo, un'intima unione danno piacere e promuovono la crescita, perché rappresentano una base sicura. Sono convinta tuttavia che anche qui ci sia bisogno di uno spazio, di una distanza fra i due individui perché possano svilupparsi e crescere davvero. Il convolvolo, che vive abbarbicato a un'altra pianta, non la aiuta, ma attorcigliandosi intorno ad essa a volte la soffoca.

Dicendo sempre sì al vostro compagno o alla vostra compagna, anche se l'accordo vi sembra reale, finirete per avere entrambi la sensazione che fra voi non ci sia differenza. Può essere un'idea confortante, ma genera staticità: nella vostra vita ci sarà poco movimento. Se in uno dei due avviene un cambiamento, può essere vissuto come un terribile tradimento, come la rottura di un tacito patto.

Un altro errore in cui si incorre facilmente è quello di dire sì per compiacere l'altro, anche se non si è del tutto d'accordo. È normale essere felici di offrire al compagno qualcosa che gli fa piacere: il vostro sì, per esempio, come un dono. Ma se diventa un'abitudine può sembrare che venga dato per scontato, con l'inevitabile strascico di malumore e di accuse: "Faccio tanto per lui (o per lei) e non mi dimostra mai un po' di riconoscenza!" In realtà siete stati voi a scegliere questa strada; siete responsabili delle vostre azioni.

Oppure vi preoccupa l'idea di poter causare un dispiacere e temete le conseguenze, magari sul piano emotivo: non vi volete sentire meschini, egoisti, poco gentili; non volete vedere la persona che amate delusa, irritata o arrabbiata. Così evitate il confronto. Invece dire no può essere estremamente liberatorio per entrambi i partner, perché incoraggia le differenze di idee e offre un'occasione di cambiamento. Se ciascuno sostiene il proprio punto di vista, si può trovare un accordo che rispetti l'individualità di entrambi, giungendovi insieme e non ciascuno per conto proprio, facendo supposizioni sull'altro. Scoprirete che le divergenze non minano la vostra intimità. Dicendo no, inoltre, autorizzate l'altro a fare altrettanto.

Specchi deformanti

Abbiamo visto che ci facciamo un'immagine di noi stessi vedendoci riflessi negli occhi degli altri. Soprattutto in una coppia, l'immagine che si vede riflessa può far sentire la creatura più fantastica della terra o provocare grande sofferenza. A volte la percezione che l'altro ha di noi ci disturba, soprattutto se non coincide con la nostra. "Mi fa sempre fare la figura della stupida", "Pensa che lavori così tanto perché mi diverto", sono lamentele frequenti.

Se ci viene rimandata sempre una certa immagine, possiamo cominciare a dubitare di noi stessi. Se una donna intende semplicemente sostenere un punto di vista diverso da quello del marito, ma lui le risponde come se lo avesse attaccato, è facile che desista e lasci perdere. Un uomo che si sente vulnerabile ed escluso e viene trattato come un bambino viziato può reagire con un atteggiamento infantile. Vedersi svalutati agli occhi di un altro è molto doloroso e fa vacillare la fiducia in se stessi. È difficile conservare l'idea del proprio valore, è più facile lasciarsi andare pian piano a credere all'immagine che si vede. Da adulti, quando ci troviamo davanti un'immagine che non ci piace, ripercorriamo le esperienze del nostro passato per vedere se corrisponde alla realtà. Proprio questo ci renderà più o meno capaci di reagire a qualcosa che ci ferisce, di dire "no" a un'immagine di noi stessi che sentiamo inadeguata.

A volte la relazione con l'altro è influenzata anche da ciò che accade durante l'assenza. Entrambi i partner hanno in mente un'immagine dell'altro, che quando non si è insieme può suscitare sentimenti molto forti.

Diane e Peter litigano spesso; entrambi sentono di non essere apprezzati dall'altro. Tengono molto a cenare insieme dopo aver messo a letto i bambini, ma spesso questo momento tranquillo fa loro paura. Quando si avvicina l'ora del rientro di Peter, entrambi cercano di immaginare l'umore dell'altro, prevedendo problemi. Diane, che ha passato tutta la giornata a casa con i bambini, non vede l'ora di vedere il marito e di chiacchierare con lui di quello che definisce "il mondo esterno", ma immagina che Peter sia esausto e desideri solo mettersi in poltrona davanti alla televisione. Si aspetta che la escluda e pensi solo a se stesso. Dal canto suo Peter, stanco per la giornata di lavoro, prevede che Diane sia infelice e depressa perché è rimasta tutto il giorno in casa, ed è già irritato con lei in anticipo.

Così, al momento dell'incontro hanno già in mente un'immagine decisamente negativa dell'altro. Parlando dell'atmosfera pesante delle loro serate, scoprimmo che in fondo ciascuno dei due reagiva alla persona che aveva in mente, senza chiedersi di che umore fosse veramente. Le fantasie sull'altro sostituivano la realtà. Quando si incontravano, non si accorgevano nemmeno se l'altro era diverso da come l'avevano immaginato. Per esempio Peter poteva avere voglia di una buona cena e di una chiacchierata con la moglie, e Diane poteva aver trascorso una giornata piacevole ed essere entusiasta all'idea di una tranquilla serata a casa con il marito. Era importante che si rendessero conto dell'abisso che c'era fra la persona che si aspettavano di trovare alla fine della giornata e la persona reale. Dovevano imparare a sospendere il giudizio se prima non avevano verificato la realtà dell'altro. Dovevano capire che, se nei loro pensieri trasformavano il compagno in un'altra persona, erano loro i responsabili. Tutti, in una certa misura, facciamo qualcosa di simile.

Fantasmi

Per capire i motivi per cui travisiamo la realtà può essere utile analizzare cosa si interpone fra noi e una visione chiara del partner.

Raj lavora moltissimo. È sempre stato competitivo e si pone obiettivi molto alti. Il padre era un uomo esigentissimo e Raj aveva la sensazione che non fosse mai soddisfatto. Pensava anche che il padre si aspettasse da lui i risultati che lui stesso non aveva mai raggiunto. Era stata una situazione difficile da sopportare, soprattutto nell'adolescenza. Adesso, quando la moglie gli fa qualche richiesta, spesso Raj si mette sulla difensiva. Gli viene in mente la sua infanzia e si sente sfruttato, come se tutto il suo lavoro non fosse apprezzato e, qualunque cosa faccia, gli venisse chiesto di più.

In gioventù Carla aveva frequentato un collegio dove aveva subito gravi prepotenze. Aveva cercato timidamente di spiegare ai genitori quello che succedeva, ma sembrava che non la sentissero, o che avessero scelto di non intervenire. Diventò una persona piuttosto chiusa e timida, incapace di far valere le sue ragioni. Adesso, pur essendo felicemente sposata, ha difficoltà a esprimere al marito il suo disaccordo e ad opporsi apertamente a qualche sua richiesta. James, il marito, ha spesso la sensazione che la moglie sia irritata e che la cosa abbia a che fare con lui, ma non capisce cosa le ha fatto. Nei momenti di disaccordo Carla ricorda le prepotenze subite e tende a farsi piccola piccola e a cedere. Poi si comporta come se James fosse uno dei compagni violenti e prepotenti, e non il marito che semplicemente non è d'accordo con lei.

I fantasmi che nel primo capitolo abbiamo visto aleggiare intorno alla culla, dunque, ci seguono per tutta la vita. In vari momenti, persone del nostro presente risvegliano sentimenti ed emozioni del passato. Nel caso di cui abbiamo appena parlato, per esempio, Peter ricordava che quando viveva ancora in casa la madre era spesso malata e depressa. Quando Diane era scontenta, Peter provava un terribile senso di oppressione, che il malumore della moglie non bastava a giustificare. Era come se l'infelicità di Diane la trasformasse ai suoi occhi nella madre triste e depressa dei suoi ricordi infantili. L'immagine che aveva di Diane veniva deformata e lui reagiva a qualcosa che andava oltre il suo comportamento.

Anche nel caso di Raj e di Carla lo specchio deformante del passato modificava le rispettive immagini del compagno. Raj reagiva come quando era un giovane adolescente, risentito perché si faceva troppa pressione su di lui. Carla si faceva piccola e si ritraeva come quando era bambina. Tutti trasferivano sul partner un'immagine dell'esperienza con altre persone appartenute alla loro infanzia. Ma a sua volta questa immagine, interagendo con la storia del partner, modificava la sua reazione. Così, spesso accade che una coppia si trovi invischiata in un circolo vizioso che confonde le idee e da cui è difficile uscire, anche perché i fattori che interferiscono, non essendo coscienti, non possono essere fatti oggetto di riflessione.

È un problema frequente nella psicoterapia delle coppie. È molto difficile, per due partner che sono ormai immersi in questa atmosfera, dire qualcosa del tipo: "Non so a chi stavi pensando quando mi hai parlato in quel modo, ma non ho avuto l'impressione che avesse a che fare con me". Come quando il bambino piccolo ha la sensazione che la mamma si sia trasformata nella strega cattiva e la mamma deve ricordare a se stessa di non essere affatto una strega, così nelle coppie a volte dobbiamo ricordarci chi siamo veramente. Dobbiamo saper impedire all'altro di trasformarci in qualcosa che non ha niente a che fare con noi.

Insieme ma separati

Accettare le differenze è difficile a tutte le età. Se vogliamo avere un rapporto basato sulla reciprocità, dobbiamo essere capaci di tener fede ai nostri sentimenti, non lasciandoci invadere da quelli dell'altro. Dobbiamo essere abbastanza sicuri di noi stessi da dire, quando ci viene presentata un'immagine che non pensiamo corrisponda a noi: "No, questo non sono io". Dobbiamo mantenere con fiducia la nostra posizione di differenza. Dovremmo saper dire: "No, non ho voglia di farlo", se è veramente quello che pensiamo. L'individualità, la differenziazione sono state argomento di tutto il libro. Uno dei modi con cui dimostriamo di essere degli individui distinti è dicendo no agli altri.

Le coppie devono venire continuamente a patti con le differenze. Spesso cerchiamo di spingere l'altro a conformarsi a un ideale, a rispondere alle nostre aspettative. La storia personale influenza il modo in cui vediamo l'altro e noi stessi. In una certa misura ripetiamo anche schemi di relazione che ci sono familiari. Cerchiamo di far sì che gli altri vedano le cose come noi. Ma, per essere autenticamente reciproco, un rapporto adulto deve essere formato da due persone distinte che scelgono di stare insieme. Parliamo di legami che ci uniscono, ma la vera intimità nasce dalla libertà di scelta. Dobbiamo saper dire no all'istinto di imporre le nostre idee, di tenere l'altro strettamente legato a noi o all'immagine che abbiamo di lui (o di lei). Per essere uniti dobbiamo lasciar andare. Solo allora potremo impegnarci in uno scambio autentico e alla pari.

Indicazioni bibliografiche

Epigrafe

Bhownagary, F., *To my Children*, in *Poems*, Writers Workshop, Calcutta 1997, p. 17.

Introduzione

pag.   9 Phillips, A., *On Kissing, Tickling and Being Bored*, Faber and Faber, London 1993, p. xvi.
      10 Shah, I., *The Exploits of the Incomparable Mulla Nasrudin*, Pan Books Ltd., London 1973, p. 26.

1. Dalla nascita ai due anni

      13 Tagore, R., *The Crescent Moon*, in *Collected Poems and Plays of Rabrinadath Tagore*, Karnac Books, London 1991.
      13 Questi studi sono descritti in Brazelton, T.B. e Cramer, B., *Il primo legame*, Frassinelli, Milano 1991.
      15 Bion, W.R., *Apprendere dall'esperienza*, Armando Armando, Roma 1979.
      18 Stern D., *Le prime relazioni sociali: il bambino e la madre*, Armando Armando, Roma 1979.
      19 Murray, L. e Cooper, P.J. (a cura di), *Postpartum Depression and Child Development*, The Guildford Press, New York e London 1997.
      20 Winnicott, D.W. Quella di madre "sufficientemente buona" è un'idea coniata da Winnicott e ricorre in tutta la sua opera.
      22 Winnicott, D.W., *Oggetti transizionali e fenomeni transizionali*, in *Dalla pediatria alla psicoanalisi*, scritti scelti, G. Martinelli, Firenze 1975, p. 286.
      35 Hood, T., *The Death Bed*.

39   Klein, M., *Weaning*, in *Love, Guilt and Reparation and Other Works, 1921-1945*, Hogarth Press and the Institute of Psychanalysis, London 1975.

42   Brazelton, T.B., *Touchpoints*, Addison-Wesley Publishing Company, 1993, p. 233.

44   Fraiberg, S., *Ghosts in the Nursery: a psychoanalytic approach to the problems of impaired infant-mother relationships*, in *Clinical Studies in Infant Mental Health. The First Year of Life*, Tavistock Publications, London e New York 1980, p. 164.

49   Brazelton, *op. cit.*

2. *Da due a cinque anni*

53   Tagore, R., *op. cit.*

54   Bettelheim, B., *Il mondo incantato*, Feltrinelli, Milano 1977.

69   Harris, M., *Thinking about Infants and Young Children*, Clunie Press, Perthshire 1975, p. 45.

79   Sendak, M., *Where the Wild Things Are*, Bodley Head, London 1967; Picture Lions, London 1992.

83   "Young Minds Magazine", London ottobre 1996, p. 12.

83   Daws, D., *Through the Night*, Free Association Books, London 1989.

84   Tennyson, A., *In memoriam*, Einaudi, Torino 1975.

84   Tomlinson, J., *The Owl who was Afraid of the Dark*, Puffin Books, Harmondsworth 1984.

85   Herbert, F., *Dune*, New English Library, London 1975, p. 14.

90   Saint Exupéry, A. de, *Il Piccolo Principe*, Bompiani, Milano 1949, p. 93.

90-91   Ivi, p. 96.

95   Ivi, pp. 95-96.

3. *Gli anni della scuola primaria*

96   Dahl, R., *Matilda*, Salani, Gli Istrici, 1995, p. 65.

99   Holmes, E., *Educational Intervention for Pre-School Children in Day or Residential Care*, in *Therapeutic Education*, vol. 8, n. 2, autunno 1980, p. 9.

106   Bettelheim, B., *op. cit.*, p. 13.

111   Britton R., *The Oedipus Situation and the Depressive Position*, in Anderson, R. (a cura di), *Clinical Lectures on Klein and Bion*, Tavistock/Routledge, London e New York 1992, p. 40.

122   Phillips, A., *op. cit.*, p. 72.

4. *L'adolescenza*

140   Takeko, K., in *The Burning Hearth. Women Poets of Japan*, traduzione e cura di Rexroth, R., e Atsumi, I., The Seabury Press, New York 1977, p. 69.

157 Waddell, M., *Understanding your 12-14 year old*, Rosendale Press, London 1994, p. 69.

157 Winnicott, D.W., *Oggetti transizionali e fenomeni transizionali*, cit.

158 Winnicott, D.W., *La famiglia e lo sviluppo dell'individuo*, Armando Armando, Roma 1968, p. 115.

162 Shakespeare, W., *Molto strepito per nulla*, atto II, scena III, Boringhieri, Torino 1987.

163 Dolto, F., *I problemi degli adolescenti*, a cura di Catherine Dolto Tolitch, Longanesi & C., Milano 1991.

170 Sondheim, S., *Jet Song*, da *West Side Story*.

176 Robertson, J. e J., *Separation and the Very Young*, Free Association Books, London 1989.

Conclusione: il rapporto di coppia

179 Rilke, R.M., *Requiem per un'amica*, in *Nuove poesie, Requiem*, a cura di Giacomo Cacciapaglia, Einaudi, Torino 1992, p. 429.

Indice

Stampa Grafica Sipiel - Milano settembre 1999